Je dédie ce livre

à mes grands:

Renée, Annik, Joëlle,

Jean-Yves, Kateri,

François, Christian;

à mes petits:

Kateri, Christine,

Jean-Christophe, Stéphanie,

Antoine, Véronique,

Louis-Raphaël, Marie-Joëlle,

Marie-Louise, Nicolas,

Timothée, Noémie,

Antshiusse, Gaëlle,

Ariane, Flavie;

à mes belles-filles,

à mes gendres

et à tous ceux que j'aime.

Diffusion et distribution :
    Éditions Lescop
    Téléphone : (514) 277-3808
    Télécopieur : (450) 672-5448
    Courriel : lescop@lescop.qc.ca
    www.lescop.qc.ca

Les Éditions Lescop remercient la Société de développement
des entreprises culturelles du Québec et le Conseil des Arts
du Canada de leur appui financier.

1

Mon enfance dorée
Mon adolescence agitée

Mes ancêtres
1665 - 1750 - 1830

La généalogie et la gérontologie sont deux sciences qui me sont devenues indispensables. L'une représente le passé et l'autre, l'avenir. La première se définit ainsi : science qui a pour objet l'origine et la composition des familles. La gérontologie, on y pensera plus tard. Pour le moment, je suis intéressée à faire revivre mes ancêtres. Qui étaient-ils ? D'où venaient-ils ?

Le premier de mes ancêtres venu de France, Pierre Joffrion, dit Grenadier, débarqua en terre canadienne avec le régiment de Carignan en 1665. Malheureusement, je n'étais pas à son arrivée. J'étais au loin... C'est tout ce que je sais de mon premier ancêtre.

Je dois sauter un siècle plus tard dans le temps pour en savoir davantage. Il paraît qu'une certaine Marie Mitou vint mêler son sang indien au sang de mes ancêtres. Il coule toujours dans mes veines.

Un autre saut d'un siècle m'amène à mes grands-parents que je n'ai malheureusement pas connus, mais dont mes parents m'ont rappelé les souvenirs suivants : mes grands-parents maternels sont issus d'un milieu bourgeois et professionnel. Mon grand-père se nomme Michel Gaudet. Il est né vers 1830. Il devient médecin-chirurgien en chef du pénitencier de Saint-Vincent-de-Paul. Quel titre prestigieux ! Il a sûrement une personnalité remarquable. Je me demande quel genre de médecine et de chirurgie on pouvait bien pratiquer à cette époque ?

Si j'en juge par les remèdes que ma mère nous administrait, la médecine du temps ne paraissait pas très avancée. L'eau chaude, l'Ozonol, la teinture d'iode, l'huile de castor composaient la panoplie de la pharmacie familiale. Ils servaient à guérir tous les maux.

Le rôle de mon grand-père consiste évidemment à

soigner les prisonniers. On m'a raconté un fait qui aujour-d'hui fait frémir. Les prisonniers, en plus d'être enfermés, sont condamnés à la peine du fouet – 10, 20, 50 coups... Le médecin ausculte le prisonnier pour savoir si son cœur peut en subir davantage. Doit-on continuer ? Doit-on arrêter ? La décision revient au médecin. C'est le temps de la bar-barie ! On est très loin des «condos de luxe» des prisons d'aujourd'hui. J'ose espérer que mon grand-père avait un cœur compatissant.

Docteur Michel Gaudet occupe ce poste important durant 20 ans. Par la suite, il déménage à Sainte-Thérèse où il pratique la médecine privée. Il a sans doute laissé un sou-venir inoubliable, puisqu'au Foyer Drapeau de Sainte-Thérèse, on a baptisé une salle «Docteur-Michel-Gaudet». C'est tout un honneur rendu à mon grand-père ! J'en suis très fière !

Ma grand-mère, sa femme, s'appelle Léocadie Marteau. Elle est fille de notaire. Une peinture à l'huile de son père, donc mon arrière-grand-père, le montre vêtu avec recherche, tenant une plume d'oie à la main, prêt à signer un contrat. Le couple, Michel et Léocadie, eurent, tenez-vous bien, 22 enfants, dont ma mère Yvonne, la ving-tième enfant. Je remercie mes grands-parents de leur persé-vérance, car sans cela, je ne serais pas là. Mes souvenirs sont ceux que ma mère m'a racontés. Sa mère, paraît-il, était très sociable. Elle aimait faire des visites, se promener en voiture (*buggy*) tirée par des chevaux. Maman affirme qu'elle n'a jamais vu sa mère travailler. Elle avait sans doute plusieurs domestiques. Si cela est vrai, ma grand-mère possédait un «art de vivre» hors du commun. La morale qu'on peut tirer de sa vie, c'est que la maternité ne fait pas mourir. Repeuplons le Québec !

Mes grands-parents paternels viennent d'un tout autre milieu. Ils viennent de la campagne et sont cultivateurs à Varennes. Malheureusement, à 39 ans, mon grand-père meurt d'une insolation. On raconte qu'il s'est endormi au champ en plein soleil, durant plusieurs heures. Comme tout héritage, il laisse à sa femme une famille de dix enfants, cinq filles et cinq garçons, dont mon père, Amédée.

Ma grand-mère est une femme de caractère; elle ne se laisse pas abattre par les épreuves. Elle doit travailler pour subvenir aux besoins de sa nombreuse famille. Elle s'appelle Marguerite, prénom que mon père m'a donné en son honneur. Marguerite doit être instruite pour le temps, puisqu'on lui confie la responsabilité de «maîtresse de poste». Pour bien remplir sa tâche, elle doit savoir lire, écrire et compter. N'oublions pas que nous sommes vers 1830 à la campagne et que cela représente un bon bagage de connaissances pour l'époque.

La débrouillardise est sûrement l'une de ses nombreuses qualités, puisqu'elle réussit à placer ses garçons pensionnaires au Collège de l'Assomption, sauf l'aîné Élie qui a 13 ans à la mort de son père. Elle l'envoie étudier l'anglais et les «affaires» chez un parent aux États-Unis. Elle est d'avant-garde la mémère ! Il reviendra au pays fonder une maison de courtage importante (maintenant Lévesque, Beaubien et Geoffrion inc.) et mourra millionnaire. Parmi les autres, il y eut Ulric, prêtre, Philias et Victor, médecins, Amédée, avocat, mon père; tous des professionnels. La réussite de l'aîné faisait dire à mon père que les affaires payaient davantage que les professions libérales.

Quant aux filles, Blanche, Phanélie, Alphonsine, Virginie, Aurélia, on n'en parle pas. C'est l'époque! Elles se sont préparées en vue du mariage. Elles furent, j'imagine, des épouses exemplaires et des mères sans pareil. Puissent-ils tous vivre dans notre mémoire et dans celle de leurs nombreux descendants !

Ma petite enfance
De 0 à 3 ans
1915 - 1918

Aussi loin que je remonte dans le temps, je sais par ouï-dire que je suis née à Longueuil, dans la banlieue de Montréal, d'un père et d'une mère comme tout le monde, la dernière d'une famille de huit enfants.

C'était le 8 novembre 1915, durant la guerre de 1914-1918. Alors qu'elle faisait rage en Europe, le Canada était épargné. Aucune bombe n'est tombée sur notre maison. La bombe, c'était peut-être moi qui n'ai pas fini d'exploser, même à 80 ans !

À cette époque, on accouchait à la maison. Il faisait très froid cette nuit-là. L'eau était gelée dans les tuyaux. La pompe ne fonctionnait pas. Ma mère arrivait d'une partie d'huîtres où, dit-on, elle avait ingurgité plus que sa part de ce mollusque recherché.

Ce fut mon dernier repas dans le ventre de ma mère. Je le digérai très bien. De là me vient sans doute le goût des huîtres et l'instauration de la fameuse partie d'huîtres du mois de novembre qui est devenue une tradition familiale.

Comme le veut la coutume, je fus baptisée le lendemain de ma naissance à l'église St-Antoine de Longueuil. Ma mère vouait une très grande dévotion à ce saint qui a le don de trouver les objets perdus. Le nombre de fois qu'il a été invoqué dans notre famille est incalculable. Chez nous, on possède le don de tout perdre. En reconnaissance de services rendus, ma mère ne trouva rien de mieux que d'offrir à l'église St-Antoine de Longueuil les portes du tabernacle.

Ce n'est pas une fée qui se pencha au-dessus de mon berceau, mais bien un père, une mère, un peu aveugles, remplis d'admiration, d'amour, d'adoration même. Dès le premier regard, ils furent conquis par ce petit paquet aux cheveux noirs, grouillant de vie, fruit de leur âge mûr, de leur amour et probablement le cadeau d'anniversaire de mon père, né le 8 février et moi le 8 novembre. Entre ces deux dates, neuf mois se sont écoulés. «Glissez, mortels, n'appuyez pas.» De ces choses, on ne parlait guère, il y a plus de trois quarts de siècle.

Ma mère avait eu quelques déceptions à se savoir enceinte d'un huitième enfant, dont six vivants. Elle avait 42 ans et mon père, 50 ans. On interpréterait aujourd'hui, en langage psychologique, que je n'étais pas une enfant désirée. Heureusement, cela ne m'a pas marquée. J'avais bien inscrit, au fond de moi-même, le désir d'être heureuse à tout prix. Mère Nature m'a dotée d'un caractère optimiste et j'en profite. Je cherche d'abord le bon côté des choses, et si je n'en trouve pas, je me dis que demain sera meilleur. «Tomorrow is another day», disait ma mère qui se servait de ces *slogans* pour faire notre éducation. Elle en possédait une kyrielle en français, en anglais, en latin. On peut les appeler de tous les noms : dictons, proverbes, citations, axiomes, maximes, adages, sentences. Je vous laisse le plaisir de démêler tout cela. Comme le semeur jette sa semence à pleines mains, elle en jetait au hasard de la conversation et des circonstances.

Ma mère fut rassurée par les propos optimistes de mon père qui prétendait que je serais «leur bâton de vieillesse et leur consolation». Je le fus probablement, mais je fus aussi leur souci.

Ma première maison

Je me rappelle, ou bien on me l'a raconté, que les trois premières années de ma longue existence me parurent très belles. Je sentais que j'étais aimée. Je vivais enveloppée comme dans un cocon.

Nous habitions une belle et grande maison, entourée de larges galeries, de vieux arbres, un jardin et surtout, une balançoire où mes trois sœurs aînées accueillaient leurs nombreux «cavaliers» (on dirait aujourd'hui leurs «chums»), sous l'œil vigilant d'un chaperon. J'entends d'ici les questions de mes petits-enfants. C'est quoi mémé un chaperon ? Est-ce de l'époque des dinosaures ? Les temps ont bien changé !

Il y avait aussi dans cette maison de la rue Guilbault un grenier qui recelait dans ses vieilles malles des trésors inestimables à mes yeux : vêtements de toutes sortes, robes de noces, de bal, habits de cérémonie, vieux chapeaux, gants, sacs à main, dentelles, rideaux, tentures, souliers et j'en passe. On avait autrefois le culte du souvenir et le sens de l'économie. On se disait : «Ceci, cela me rappelle trop de bons souvenirs, c'est trop beau pour être jeté, cela pourra toujours servir.» En tout cas, cela permettait aux enfants, surtout les jours de pluie, de se déguiser en madame, en monsieur et en toutes sortes de personnages. L'imagination, cette folle du logis, est féconde à cet âge.

Une autre particularité de la maison qui me fascinait, c'était à l'extérieur, tout au haut de la façade, les œils-de-bœuf. Ils étaient là, immuables, comme le regard protecteur de Dieu fixé sur moi. Ils ne me quittaient jamais des yeux. Je me sentais protégée.

J'aimais beaucoup ma maison. Mais hélas !... il me fallut la quitter. Je pleurai à fendre l'âme. Ce fut mon premier chagrin d'amour. J'en eus beaucoup d'autres par la suite, dont je finis toujours par me consoler. On me donna mille explications à notre déménagement subit que je ne compris pas, évidemment; j'étais trop petite. Pourquoi ce changement brutal ? On était si heureux ici ! La raison, c'est que mon père venait d'être nommé juge à la cour municipale de Montréal, ce qu'on appelait autrefois *recorder*. Il nous fallait donc quitter Longueuil, où mon père était maire, pour venir habiter la ville de Montréal.

C'était, disait-on, une excellente chose, car mon père ayant une étude d'avocat et de nombreux clients, ne savait pas envoyer de comptes. Il avait le cœur trop tendre. Dès qu'un de ses clients infortunés exposait sa misère, il effaçait sa dette complètement. Il poussait même la charité jusqu'à lui donner tout l'argent qu'il avait en poche. Tel était mon père ! Sans doute, il accumulait des mérites pour le ciel, mais les mérites ne sont pas monnaie courante pour payer le pain, le beurre. Aussi, ma mère s'en plaignait-elle amèrement !

Ici se terminent les souvenirs de mes trois premières années où j'ai grandi en âge et en sagesse devant Dieu et devant les hommes. L'âge, malheureusement, a continué son cours inexorable, mais la sagesse s'est arrêtée là, du moins pour plusieurs décennies à venir.

Rue Saint-Hubert
- De 3 à 13 ans -
1918 - 1926

Nous voilà donc installés sur la rue Saint-Hubert, rue *fashionable* à cette époque : l'Outremont d'aujourd'hui qui convenait bien à ma mère car elle avait, enfouie au fond d'elle-même, une petite racine de snobisme qu'elle ignorait sûrement. Mes pleurs séchés, mon petit cœur consolé d'avoir quitté ma maison natale, voilà que commence pour moi une vie nouvelle, pleine de surprises et d'aventures.

Je m'habitue à ma nouvelle maison et je l'aime. Pour moi, quand une chose est terminée, si belle soit-elle, je sais tourner la page pour en écrire une autre. Cette maison qu'on appelle *cottage* (maison unifamiliale) semble spacieuse à mes yeux d'enfant.

En premier lieu, pour que je me sente bien en sécurité, on installe mon petit lit blanc à barreaux dans la chambre de mes parents. Personne n'y voit d'inconvénients, moi non plus. Inconsciemment, je devine que je suis le centre des préoccupations de mes parents et cela me plaît. Mes trois sœurs, Jeanne, Pauline et Berthe, de 17, 15 et 14 ans mes aînées, occupent la chambre voisine. Ce sont des intellectuelles comme mon père. Leur grand plaisir, c'est de se mettre au lit, tôt le soir, avec un bon livre dans les mains. À ce moment, Proust est à la mode. Elles le dévorent et en discutent à n'en plus finir. Mais qu'est-ce qu'elles peuvent bien trouver d'intéressant dans ces caractères noirs imprimés sur des pages blanches ? Je n'y comprends rien. Je préfère l'action, le mouvement, la vraie vie quoi !

La poésie chez nous apparaît comme un virus puissant et sournois. Il atteint tous les membres de la famille, sauf ma mère et moi. Toutes les deux, nous sommes des personnes concrètes. Nous avons les deux pieds sur terre et non pas la tête dans les nuages... comme le reste de la famille. Je possède tous les anticorps nécessaires pour combattre ce vilain parasite, la poésie. Hélas ! Mon frère Jacques, né 10 ans avant moi, en est atteint sérieusement : ça le démange, ça le ronge. Il s'en gave même, mais cela ne le satisfait pas pleinement. Il veut qu'à ses oreilles résonne la douce mélodie que font les mots et les rimes. Il cherche quelqu'un pour l'écouter, quelqu'un qui partagerait un tant soit peu son amour de la poésie. Il ne trouve personne pour l'écouter. Il se résout à jeter son dévolu sur moi. Pauvre Jacques ! Il me fait presque pitié. Malgré tout, je résiste. J'ai autre chose de plus intéressant à faire, jouer par exemple. Comme j'ai le cœur dur et l'esprit borné ! Mais que voulez-vous... «Cet âge est sans pitié», dirait ma mère.

Il redouble ses supplications en y ajoutant l'appât du gain : «Si tu veux bien m'écouter, s'il-te-plaît petite sœur, je vais te payer un cent la minute.» Je calcule: pas si mal! Cela fait plus que 25 cents la demi-heure; 60 cents de l'heure. À cette époque, 25 ou 50 cents étaient beaucoup d'argent, surtout pour une enfant de 8 ans. Allons-y. J'accepte. C'est de l'argent bien gagné à ne rien faire. Il suffit d'arrêter pour un moment la machine intérieure qui tourne, qui tourne à une vitesse effrénée et de se laisser bercer au rythme de la cadence du vers.

Pourtant, ce n'est pas si facile que cela. Croyez-moi ! Je considère que j'ai bien gagné mon argent. Je ne l'ai pas volé. J'exige être payée sur-le-champ, «rubis sur l'ongle», dirait ma mère. Je n'ai jamais trop compris ce que le rubis venait faire sur l'ongle... et vous ?

Après quelques séances de lecture, mon frère qui a emprunté, pour quelques heures, les plus beaux vers des poèmes célèbres de Victor Hugo, José Maria de Heredia, Lamartine, le ton et l'accent des artistes de la Comédie-Française, se trouve fort satisfait. C'est peut-être là qu'à mon insu et contre mon gré, fut jetée la petite graine de semence qui deviendra plus tard le plaisir de lire et celui d'écrire. Je ressemble davantage à mon autre frère Amédée, de cinq ans mon aîné. Il a le goût du risque, de l'aventure. Il aime les jeux dangereux, les «gangs». Je l'admire beaucoup et je cherche à l'imiter.

Le Chinois

Mais qui suis-je au milieu de tout cela ? La petite fille sage et affectueuse qui aime sa maman par-dessus tout et la suit comme un petit chien de poche. Partout où elle va, je vais. Chez les tantes, les amis, le boucher, à l'église. Le seul endroit où je refuse de l'accompagner, c'est à la buanderie, chez le «Chinois». Il me fait peur avec son teint jaune, ses dents encore plus jaunes, ses yeux bridés. Les Chinois sont rares vers 1920. On n'en voit pas beaucoup. Le Canada n'a pas encore ouvert ses portes toutes grandes aux immigrants.

Ah ! Mon Dieu ! Quelle angoisse m'étreint quand je vois maman partir ! Reviendra-t-elle ? Je me revois, le visage inondé de larmes, le nez collé à la fenêtre, le cœur serré, attendant son retour. Sera-t-elle kidnappée ? Pourvu que le

Chinois ne l'envoie pas en Chine ! Là où l'on jette les petites filles aux poubelles, filles que les missionnaires nous permettent de racheter pour 25 cents. S'il fallait qu'elle ne revienne jamais ! Je prie le Bon Dieu de toutes mes forces de petite fille. Quel soulagement quand je la vois apparaître, toute pimpante, avec son paquet sous le bras, marqué aux caractères étranges et contenant les chemises et les rabats bien empesés de mon père.

Le Chinois parle l'anglais seulement. La loi 101 n'existe pas encore. Évidemment, il parle le chinois, que ma mère ne parle pas. Ma mère ne parle que le français. Comment peuvent-ils se comprendre ? Qu'à cela ne tienne, maman apprendra non pas le chinois, mais l'anglais. Rien ne lui est impossible. C'est ce qui se produisit : maman apprit les premiers rudiments de la langue de Shakespeare avec le Chinois.

Mon père

Mon père était à mes yeux d'enfant un bel homme, grand, brun, le regard perçant, imposant. Il m'impressionnait. Je n'étais pas aussi à l'aise avec lui qu'avec ma mère. Je le vouvoyais, alors que je tutoyais ma mère. Étrange ! Il représentait pour moi l'autorité et je lui devais le respect. Je ne me rappelle pas lui avoir répondu d'une façon impolie ou avoir discuté ses décisions durant toute sa vie. Quand ma mère avait dit : «Je vais le dire à ton père», le glas avait sonné pour moi. J'avais peur et je filais doux. Il faut dire que pour les mauvais coups, j'étais assez exceptionnelle. Il m'appelait avec beaucoup d'affection : Titite, Guiguite. Je savais qu'il m'aimait, mais comme beaucoup d'hommes de son époque, il ne savait pas trop comment exprimer ses sentiments.

Mon père avait un tempérament fougueux, passionné, exubérant. Il avait une voix de stentor. Il parlait fort, riait de bon cœur, se tapait les cuisses. Il fumait la pipe et dans les grandes circonstances, des cigares de la Havane. Il les roulait longtemps avec amour entre ses doigts avant de les fumer. C'était un véritable cérémonial. Il crachait avec une dextérité étonnante, sans éclaboussures, dans le crachoir en cuivre placé à une distance d'environ 5 pieds. Vraiment, il y avait là matière à émerveillement !

Heureusement, j'avais d'autres raisons de l'admirer. C'était un intellectuel, un érudit. Il passait son temps dans les livres. Tous les mots du dictionnaire étaient annotés et inscrits dans sa mémoire à jamais. Il aimait autant la prose que la poésie. Victor Hugo était son poète préféré. Les aînés ont beaucoup plus profité de son érudition que moi. Ils se rappellent que mon père les endormait en récitant des vers.

Il avait en plus une conscience droite, honnête, le sens de la justice. Il n'avait pas peur d'affirmer ses convictions, au risque d'y laisser sa peau. Hélas ! Toutes ses belles qualités ne l'ont pas toujours servi. J'entends ma mère, d'un tempérament plus pondéré, lui dire : «Amédée, Amédée, sois calme, toute vérité n'est pas bonne à dire.» Bien qu'étant un très bon mari, il n'écoutait pas toujours sa femme. Il aurait dû cependant... comme tous les maris !

Il a été à l'origine de la première enquête sur la police en 1925, avant celle qui fut entreprise sous le régime Drapeau et conduite par Pacifique Plante, personnage qui a fait palpiter mon cœur vers l'âge de 19 ans. J'en reparlerai.

Les journaux et les revues francophones et anglophones de l'époque ont beaucoup parlé de mon père. On vantait son intelligence et son grand courage, car dénoncer des injustices, c'est aussi trouver les coupables. Cela dérange beaucoup de monde. Il aimait défendre les causes auxquelles il croyait, entre autres, les maisons de prostitution. Il affirmait qu'elles étaient un mal nécessaire et qu'elles devaient être régies par des lois. En cela, il prenait appui sur les Pères de l'Église, qu'il avait étudiés sérieusement et qu'il appelait familièrement «ses amis».

Malgré cela, il a été dénoncé par certaines autorités religieuses du temps. Un certain père jésuite, dont je tairai le nom, l'a même traité du haut de la chaire de «suppôt de Satan». Est-ce possible ? Mon père, l'honnêteté, la droiture mêmes. Cela a beaucoup affecté sa santé. Ce fut sa dernière bataille épique. Il enterra la hache de guerre et entreprit un voyage en Europe afin de se changer les idées, ce qu'il réussit à faire. Il revint de ce voyage avec des souvenirs merveilleux qu'il raconta dans un recueil de poésie écrit en alexandrins, intitulé *Mon voyage en Europe*. On y découvre toute la culture, l'humour, la finesse d'esprit, la verve intarissable de mon père. Avec le recul du temps, je m'exclame : quel père j'avais !

L'enfance
- Je me trouve belle -
VERS 1920

Sans être frivole ni vaniteuse, ma mère aime suivre la mode. Elle aime le beau et recherche la qualité avant tout. Comme toute bonne mère, elle est fière de sa progéniture et se préoccupe de son apparence. Elle apporte beaucoup de soin à choisir les vêtements à la mode. On est loin des jeans tout déchirés d'aujourd'hui. À mon père qui trouve qu'elle dépense trop, elle répond du tac au tac par une de ses phrases lapidaires dont elle seule a le secret : «Le bon marché est toujours trop cher.» Du coup, mon père n'a plus aucun moyen de riposte. Il n'a qu'à céder devant les arguments de sa femme.

Maman m'achète ma toilette de printemps. Je me trouve bien belle avec mon petit «reffer» aux boutons dorés, le col matelot, tantôt bleu marine, tantôt blanc, et ma tourmaline placée avec recherche sur le côté de la tête. Les guêtres de cuir qui complètent l'ensemble sont le *nec plus ultra* de l'élégance et du chic. Ma mère manifeste sa satisfaction par des Ah ! Ah ! admiratifs et de tendres caresses. Quel heureux temps que celui où l'on n'a qu'à se laisser vivre et qu'à se laisser aimer. Hélas ! Comme les roses, cela ne dure qu'un moment et c'est le temps de l'inconscience.

Les bonnes manières
- La bonne -
1918 - 1926

Les souvenirs de mon jeune âge m'arrivent en vrac dans la mémoire. Ils traînent tous épars sur mon pupitre. Je revois le mobilier de salle à manger en acajou solide (le contre-plaqué n'existait pas à cette époque), les chaises sculptées en pattes de lion, l'énorme buffet, la *tiffany* au-dessus de la table, les tentures de velours rouge. Tout ce décor crée une atmosphère de vie familiale intime. Ma mère s'affaire. Elle va et vient, trottinant de la cuisine à la dépense. La préparation des repas lui incombe. Huit personnes à nourrir, c'est du travail, sans compter les intrus qui viennent sans invitation. Ceux-là, on les appelle les pique-assiettes. Malgré cette appellation désobligeante, tout le monde est bien accueilli chez nous. On a la réputation d'être une famille généreuse. Notre maison est même baptisée «L'Auberge de l'Ange Gardien».

De temps en temps, quand maman est trop fatiguée, on engage une «bonne» afin de la soulager des travaux domestiques. Mais elle trouve que c'est encombrant. Elle n'a jamais aimé se faire servir. Elle aime mieux servir. Sur ce point, je ressemble beaucoup à ma mère. «On n'est jamais si bien servi que par soi-même.» La bonne vient ordinairement de la campagne. On doit la loger et lui fournir l'uniforme : robe noire, petit tablier blanc, coiffe en organdi.

Durant ces périodes, le décorum règne en maître. Mon père préside la table. Il est servi le premier (temps révolu). Tout le monde reste assis, y compris ma mère. On appelle la bonne avec une clochette. On parle à voix basse, chacun son tour, ce qui est un tour de force pour la famille. On apprend le maniement des ustensiles et les préceptes des bonnes manières que mes bons parents ont voulu m'inculquer tant bien que mal. À mon tour, j'ai essayé de les transmettre à mes enfants, qui à leur tour les redonnent à leurs enfants et ainsi de génération en génération, jusqu'à ce que soit publié un nouveau *Manuel des bonnes manières à table.* D'ici là, je vous souhaite bon appétit !

L'enfance
- La révolte -
VERS 1923

Tout semble calme à l'horizon. Ma jeune vie s'écoule comme un ruisseau sans remous. Rien ne laisse présager la tempête. Soudain, le vent se lève, au loin gronde le tonnerre, la tempête éclate.

La petite fille sage que je parais être manifeste tout à coup une double personnalité. Serais-je la fille du Docteur Jekyll ou de Mr. Hyde ? Non, mais c'est encore plus tragique. Je suis un garçon manqué. Je suis un *tom boy.* Je me révolte contre mon sexe. Je perçois les injustices faites aux filles et le sort qu'on leur réserve. La liberté, c'est pour les garçons. On leur accorde toutes les permissions. Ils font du sport, de la bicyclette, du patin. C'est ma vision de la situation. Déjà féministe à 8 ans. Cela promet !

Eh bien non ! Je vous le déclare sur mon honneur, cela ne se passera pas comme cela ! Moi, Marguerite, je serai un garçon. Je m'appellerai Marc. Nous déménagerons dans un autre quartier de la ville, là où l'on ne me connaît pas. Je m'habillerai en garçon. Je défierai toutes les lois de la nature que je ne connais pas encore. Je profiterai de tous les privilèges réservés au sexe masculin.

La famille n'a pas déménagé. Je n'ai pas changé de

sexe, mais c'est à ce moment précis de révolte qu'a commencé ma vie de garçon ! «L'habit ne fait pas le moine», me direz-vous ? En tout cas, cela aide à la métamorphose que j'entreprends. Je commence par m'habiller comme un garçon. Je vais moi-même magasiner chez feu Dupuis Frères, le magasin de la famille canadienne-française d'autrefois. J'achète pantalon, chemise, cravate de couleur kaki, comme dans l'armée, une casquette de général, rien de moins. Je prends mes économies pour payer mes achats. Je n'aime pas qu'on me donne des cadeaux aux fêtes, aux anniversaires. Je préfère l'argent dont je peux disposer à ma guise.

Je me fais couper les cheveux courts, à la garçonne. Et le tour est joué ! Je suis un garçon !

J'ai un sifflet avec lequel je rassemble tous les garçons de la rue Saint-Hubert, de 6 à 10 ans. Je deviens le chef incontesté et incontestable de la bande. Je les soumets à mon commandement. Je joue au baseball, au football. J'aime la lutte, la boxe. Je provoque des bagarres avec les Irlandais d'en face. L'une d'elles, Edna, deviendra Sœur Marie Réparatrice et mon amie. On se crie des noms : «Pea soup», «Frog», «Big Pig». Ce sont les premiers mots d'anglais que j'ai appris, avec beaucoup de facilité. Je me crois bilingue, mais je suis plutôt raciste ou xénophobe. La ruelle est mon domaine préféré. Je troque ma poupée, mon carrosse contre le marteau, la scie et le rabot, sans aucun remords. On me prédit un avenir sombre, ou comme homme, ou comme femme. Il semble que je n'aie aucun instinct maternel puisque je ne joue pas à la poupée comme toutes les petites filles de mon âge. Mais que m'importe ! La maternité est bien loin de mes préoccupations actuelles. Plus tard, on y verra.

En attendant, je fume en cachette, de la mousse de blé d'Inde séchée (assez inoffensif) et quelques cigarettes, comme tous les enfants du monde. Je vais m'arrêter là pour ne pas trop donner le mauvais exemple à mes petits-enfants.

Les 400 coups, je les ai faits, mais la goutte d'eau qui fait déborder le vase, la voici : je décide avec mes amis de repeindre l'automobile de mon père, l'Overland, pour lui faire une surprise. Hélas ! la réaction à la surprise n'a pas été celle que j'attendais. «C'en est assez», s'écrie mon père. «Il faut la dresser celle-là.» Comme je suis descendue bas ! Je n'ai même plus de nom – on m'appelle «celle-là». Et il continue sur le même ton. Il n'y a que l'École de réforme qui en viendra à bout. L'École de réforme, c'est une maison de correction pour délinquants. Ah ! Mon Dieu !

Je baisse honteusement la tête, je reconnais mes torts. Mes parents si bons ont raison. Je ne suis qu'une délinquante en puissance, en devenir. Eux qui font tout pour me faire plaisir. Ils ne me refusent rien : bicyclette, voiturette, patins à roulettes, trottinette, et moi, l'ingrate, je n'écoute que mes mauvais instincts. Je pense à la peine que je leur fais et à toute la tendresse dont ils m'entourent. Les petits noms doux qu'ils me donnent : mon petit loup, mon trésor, mon bouquet, et je pleure. Je ne mérite pas autre chose que l'École de réforme. Il faut me dresser; il n'y a pas d'autres solutions, et cela presse.

Le jour fatidique de mon départ a sonné. La mise en scène est parfaite. Je descends l'escalier de la maison, ma petite valise à la main. Je sens mes parents bien malheureux d'en être venus à cette décision et moi, j'ai le cœur brisé.

Tout à coup, oh! miracle! comme Jeanne d'Arc, j'entends une voix venue du ciel me dire : «Si tu promets d'être sage, pour cette fois, on va te pardonner.» Ouf! quel soulagement ! Je saute au cou de mes parents. Je pleure de joie et je promets solennellement d'être sage.

L'ai-je été ? L'avenir le dira. «Le temps est un grand maître», disait maman. Il faut être patient. Après tout, Rome ne s'est pas construite en un jour...

La petite école
VERS 1921 - 1926

De 6 à 12 ans, je fréquente une école privée située tout près de chez nous, rue de Mentana. Ma mère a toujours eu peur que l'on se fasse enlever par quelque maniaque. C'était sa hantise. Elle voulait nous avoir à l'œil.

L'école porte le nom pompeux d'Académie Saint-Antoine. Rien de commun avec l'Académie française, croyez-moi ! Deux bonnes institutrices, dévouées, aimantes, célibataires, les demoiselles Fecteau, reportent toute leur affection et leur savoir sur leurs jeunes élèves. Elles essaient tant bien que mal d'ouvrir nos esprits malléables aux joies de la connaissance. L'écriture, la lecture, la grammaire, l'arithmétique, le cathéchisme ne me procurent pas les joies escomptées.

Le jeu prend de plus en plus d'importance dans ma petite vie. Je me fais des amies. Une, entre autres, Simone Bernadet (son père était le premier intendant des parcs de Montréal) dont je conserve l'amitié depuis 74 ans. Quelle fidélité ! Qui dit mieux ?

Je me sens comme un poisson dans l'eau. La liberté règne. La discipline n'est pas trop contraignante. Cela convient très bien à mon tempérament enjoué et quelque peu rebelle. Mes bulletins ne sont pas trop mauvais et pour cause.

Mon frère Amédée, de cinq ans mon aîné et plus rusé que moi, a mis la main sur le *Livre du Maître*, livre dans lequel sont inscrites questions et réponses. Quelle aubaine pour des lascars comme nous ! Mais le pot aux roses est vite découvert. Mon père m'interroge sur quelques matières et constate avec stupeur l'ampleur de mon ignorance. Il me donne *illico* une dictée. Sur 50 mots, je fais en moyenne 49 fautes. Quelle dégringolade ! Alerte générale ! Affolement total ! Réunion d'urgence ! Père, mère, sœurs, frères sont convoqués; on s'inquiète avec raison de mon ignorance. On s'interroge. Il faut trouver une solution à tout prix et cela presse. Demain, il sera trop tard.

Je ne trouve aucune compassion autour de moi. À peine une lueur de tristesse dans les yeux de ma mère qui m'a toujours protégée, jusqu'à ce jour. «Assez de tolérance, de mollesse dans notre éducation, proclament mon père et ses pairs: passons aux actes.» On propose la discipline corporelle (la «strap»), le coucher à 7 heures, la séquestration, la privation de dessert, et j'en oublie.

Comme le condamné à mort attend dans sa cellule le moment de son exécution, moi aussi j'attends, angoissée, la décision finale. Malgré la gravité du débat, le verdict ne se fait pas attendre. Le jury est unanime et sans appel : elle ira pensionnaire !

Ici s'achève mon enfance dorée et commence mon adolescence multicolore.

Villa Maria
- Le pensionnat -
1927 - 1933

Alea jacta est. La décision est irrévocable. On ne peut revenir en arrière. C'est un fait. J'irai pensionnaire. D'un seul coup je perds mes amis, mes parents, ma liberté, ma vie. On ne s'occupe pas de mes sentiments, de la peine que j'éprouve. On discute plutôt du choix du couvent où l'on me mettra. Villa Maria semble tout désigné. Mes sœurs aînées ont toutes trois fait leurs études dans cette institution et y ont laissé un excellent souvenir. Ce sera plus facile de me faire accepter, car je ne suis pas la candidate rêvée que tous les couvents veulent s'arracher. Mes bulletins ne sont pas très flamboyants et ma conduite laisse quelque peu à désirer.

J'accompagne mon père qui a rendez-vous avez la Mère Supérieure pour discuter de mon cas. Il parle de moi avec beaucoup d'enthousiasme, vantant mon bon caractère, mes qualités intellectuelles, ma nature docile, les vertus de mon cœur. Je suis toute surprise de l'entendre parler de moi de cette façon élogieuse. Je ne me reconnais pas. Est-ce bien de moi qu'il s'agit ou d'une autre personne ? Mais il est fin plaideur mon père. Évidemment, après un tel plaidoyer, la cause est gagnée.

Je suis donc acceptée à Villa Maria. Tout le monde est content. On finira bien par faire de moi une jeune fille distinguée et instruite. C'est le rêve de tout parent. Les préparatifs pour le pensionnat sont une étape très excitante. Les uniformes neufs, les vêtements neufs, les souliers neufs, tout paraît neuf, même la vie !

Ma première impression est excellente. Le premier soir, je rencontre une jeune fille, Marie-Jeanne Leblanc – qui deviendra la célèbre peintre Jeanne Rhéaume – avec qui je me lie immédiatement d'amitié. Je suis de plus en plus heureuse dans ma nouvelle vie de pensionnaire. Malheureusement, pour des raisons que j'ignore, on décide de me changer de classe. Du coup, je perds mon amie et ma joie de vivre.

L'adaptation au Second Cours, comme on l'appelle, est très pénible. Je ne connais personne. Les groupes sont formés et personne ne s'occupe de moi. Je pleure tout le temps pendant les récréations. Il y a une élève, Jacqueline D., qui fait la loi et décide que je ne ferai pas partie du groupe. Pour moi qui étais chef dans ma rue, c'est une dure épreuve. Je la critique, je la déteste, je suis jalouse. Je souffre terriblement, car la jalousie est comme un ver qui me ronge le cœur. Elle me fait mourir. Je décide dans ma petite tête de changer de tactique. Au lieu de critiquer, de détester cette élève, je deviens gentille avec elle. Je lui cherche des qualités et, comme sous le coup d'une baguette magique, je fais partie du groupe et elle devient ma meilleure amie.

L'étude ne me passionne pas plus qu'il ne faut. Mais j'avoue que j'ai quelques tours dans mon sac pour pallier mon manque d'intérêt. Malgré tout ce qu'on appelle «mes mauvais coups», je deviens peu à peu le «chouchou» des religieuses. Mais pas de toutes. Les maîtresses de musique ne m'aiment pas. Elles ne m'ont pas en odeur de sainteté. Elles essaient, mais en vain, de me rentrer de force quelques notions musicales : que de petits coups de baguette j'ai reçus sur les doigts (pas assez pour intenter un procès aux religieuses). J'ai la tête ailleurs. Je préfère le champ de base-ball à la chambre de pratique, le bâton au clavier.

Avec les années, je délaisse peu à peu la queue de la classe. Je deviens une élève studieuse, mais sans obsession. Le jour du départ est arrivé. J'ai terminé mon cours Lettres-Sciences. Au lieu de rire, je pleure de quitter ce couvent qui m'a donné tant de bonheur. Le bonheur n'est-il pas composé de joies et de peines ?... Mais avant le départ, il y a la cérémonie de la graduation.

La graduation
1933

La graduation est une cérémonie très impression-nante à Villa Maria. La grande salle de réception est déco-rée de fleurs printanières. Les élèves sont assises sur le bout de leur chaise, l'épine dorsale droite comme une épée, le pied droit légèrement placé dans l'arche du pied gauche, la main gauche déposée mollement dans la paume de la main droite; et voilà que s'avance majestueusement, au son de la *Marche Pompe et Circonstance* de Sir Edward Elgar, compositeur anglais, la procession des dignitaires ecclésiasti-ques et politiques : évêques, monseigneurs, même cardi-naux, ministres, députés. Ils sont invités à distribuer aux élèves les diplômes, les prix et les couronnes. La couronne est une récompense remise à l'élève pour sa bonne conduite. Malheureusement, comme on dit dans le langage du cou-vent, «J'ai perdu ma couronne» à cause de ma mauvaise conduite : j'en ai oublié la raison. À chaque nom, une élève qu'on appelle un «ange» apporte le tout sur un plateau d'argent et le remet à l'un des dignitaires assis dans des fauteuils de velours rouge, en avant de la salle.

Quand on annonce «Marguerite Geoffrion reçoit son diplôme du cours Lettres-Sciences» et que, par erreur, on ajoute : «Elle est couronnée pour sa bonne conduite», le Monseigneur qui a mon diplôme, mes prix et ma couronne attend que je mette un genou par terre pour déposer sur ma tête la couronne de bonne conduite. Je lui dis tout simplement : «Monseigneur, je n'ai pas mérité ma couronne», et je retourne à ma place avec mon diplôme et mes prix. Personne n'a connaissance de cet incident.

Pourtant, cette simple phrase tombée tout naturellement de ma bouche se rend directement aux oreilles de la Supérieure. On cherche l'élève dans tout le couvent qui aurait prononcé cette phrase, tout en refusant sa couronne. Elle veut la voir. Comme c'est moi, je me rends inquiète au bureau de la Supérieure. Est-ce bien, est-ce mal, ce que j'ai fait ? Je crains les foudres d'en haut. On ne va pas impunément chez la Mère Supérieure, mon expérience me l'a prouvé. Elle me rapporte les propos du Monseigneur. À ma grande surprise, c'est bien. «Cette élève m'a impressionné par sa franchise; ce n'est pas une couronne qu'elle mérite, mais deux couronnes.»

Croyez-moi, le lendemain à la distribution solennelle des prix, j'arbore fièrement sur ma tête la couronne de bonne conduite et la couronne d'excellence.

La morale de cette histoire, c'est qu'un seul acte de franchise peut effacer tout un passé de «mauvaise conduite» !

2

Ma quête d'amour

La vie ressemble étrangement à la nature avec ses quatre saisons : le printemps, l'été, l'automne, l'hiver. Elle se montre parfois clémente, prometteuse, monotone, orageuse, douce, violente. Ce que j'ignore à l'âge de 19 ans.

Je sors d'un pensionnat de jeunes filles, Villa Maria, où j'ai vécu durant six ans, heureuse et protégée, comme dans une serre chaude. J'ai la tête pleine d'illusions et le cœur rempli de désirs. Je crois naïvement que tous mes rêves se réaliseront.

Ma première déception vient de mon père. Je veux faire mon baccalauréat. Il ne trouve pas nécessaire que je poursuive mes études. Après mon cours Lettres-Sciences, il trouve que, pour une fille, c'est assez. C'est la mentalité de l'époque. Pourquoi me refuse-t-il cette demande si légitime ? Lui qui croit tellement à l'instruction et à la culture. Je n'y comprends rien, mais je me soumets car je suis devenue une fille bien docile... Mon père a 68 ans. Il est malade et souffre de cette maladie qu'on appelle «neurasthénie». Il me donne comme réponse : «Pour faire une bonne mère de famille, il n'est pas nécessaire d'avoir tant de diplômes. Regarde ta mère.» C'est vrai que ma mère est une mère exceptionnelle !

Vers 1930, trois vocations sont possibles : le mariage, le célibat, la vie religieuse. Des trois, seul le mariage m'intéresse. Je ferai comme mes trois sœurs aînées et je me marierai et aurai beaucoup d'enfants. Étant d'une famille relativement aisée, je n'ai pas besoin de travailler pour gagner ma vie. Mes parents me font vivre tout naturellement. Faire une carrière, il n'en est pas question. Je n'y pense même pas. Je n'ai qu'à attendre «le mari rêvé» qui assurera mon existence. Lui sera le pourvoyeur et moi, je tiendrai la maison, j'élèverai les enfants.

Mais que vais-je faire de toute l'énergie qui m'habite ? Où vais-je dépenser ce surplus de vitalité ? Il faut absolument que je m'occupe. «It's a must.» Je choisis au hasard quelques cours de philosophie donnés par le Père Voyer O.P. Je deviens membre de la Société d'études et de conférences. J'assiste aux conférences. Je fais de petits travaux littéraires, ce qui permet à mon intellect de ne pas trop stagner. Mais, ce n'est pas suffisant pour occuper toutes mes journées. On m'a appris que «l'oisiveté est la mère de tous les vices». Mon ambition n'est pas de les posséder tous. Quelques-uns me suffisent. De plus, je suis favorisée d'une santé qui ignore la maladie. Les microbes, les virus n'ont aucune prise sur mon corps. Ils semblent ne pas m'aimer ! Mes anticorps sont là, rangés en bataillons, prêts à me défendre si jamais on veut m'attaquer. Alors, dites-moi, que faire de mon temps, de ma jeunesse, de ma vie ?

Une idée saugrenue me traverse l'esprit. Pourquoi pas l'ébénisterie ? J'ai toujours aimé depuis ma tendre enfance manier le marteau, la scie et le rabot. L'École du meuble me semble un choix judicieux. Je fabriquerai de mes mains des objets d'art. J'apprendrai les différents styles de meubles et j'élargirai mes connaissances. Jean-Marie Gauvreau en est le prestigieux directeur.

Je m'amène donc un beau soir de septembre 1934, ne devinant pas ce qui m'attend. Il y a dans la classe environ 25 élèves, dont 24 garçons et moi-même. Quelle aubaine ! Aucune rivale ! C'est le milieu rêvé pour la fille qui sent l'attirance de l'autre sexe.

L'ébénisterie prend alors une importance capitale dans ma vie. Mais, est-ce bien l'ébénisterie ? Soyons honnête ! J'avoue que c'est surtout le garçon qui me regarde avec un certain intérêt. Il me demande de faire équipe avec lui. Quelle bonne idée de travailler deux par deux ! Il est très attentif à mes progrès en ébénisterie. Si j'éprouve quelques difficultés, il court à mon secours. Il m'enlève délicatement la scie des mains, en prenant soin de me frôler les doigts. Le langage des mains et des doigts est parfois très éloquent. Il faut y être attentif et savoir le décoder.

Nous sommes amis. Il me reconduit chez moi après le cours. Imperceptiblement, l'amitié fait place à l'amour. Le feu prend, le feu est pris ! C'est l'amour ! Le coup de foudre ! Je ne pense qu'à lui, je ne parle que de lui, je n'attends que lui, je ne sors qu'avec lui, je le pare de toutes les qualités. Il est le plus beau, le plus fin, le plus intelligent. De défauts, je n'en vois point. La seule chose que je n'aime pas en lui, c'est son prénom : il s'appelle Pacifique comme l'océan. Heureusement, on l'appelle Pax Plante.

Ce qu'il y a de merveilleux dans ce beau roman d'amour, c'est qu'il m'aime autant que je l'aime. On n'entrevoit aucun obstacle. Pax finit ses études de droit. Il est peu fortuné, mais que m'importe l'argent en comparaison de l'amour. «Une chaumière et ton cœur», dit un vieil adage. Après les cours, nous allons bras dessus, bras dessous manger des «smoked-meat», les yeux dans les yeux, sur la rue Saint-Laurent. Le samedi soir, c'est la danse au «Venitian Garden», rue Ontario Ouest, aujourd'hui avenue Président-Kennedy. Le *fox-trot*, la valse, le *cheek-to-cheek* (joue contre joue) sont les danses à la mode. Nous portons un manteau de cuir identique. Nous élaborons des projets d'avenir. Nous nous marierons dès qu'il aura une situation stable et nous aurons beaucoup d'enfants. Bref, c'est le bonheur parfait. Le ciel est bleu, aucun nuage à l'horizon; la mer est verte, aucune vague à la surface. L'amour est à son apogée. Il nous tient dans les hauteurs.

Mais, pas plus qu'un trapéziste ne se maintient dans les airs éternellement, lentement je redescends sur la terre. La réalité apparaît différente du rêve. Pax n'est plus le même avec moi. Il devient distant, évasif. Toutes les raisons sont bonnes pour briser le grand amour qui semble pourtant avoir de profondes racines. Cela fait près de deux ans que nous nous aimons. Imaginez ma peine. Je souffre à en mourir. Je suis une personne entière, passionnée. Autant j'ai de joie, autant j'ai de peine ! Voici quelques raisons qu'il évoque. Il doute de sa vocation. Peut-être n'est-il pas fait pour le mariage ? Peut-être fera-t-il un prêtre ? Je reste avec mon immense chagrin. Comment pourrais-je me mettre en travers des desseins de Dieu, s'il veut faire un prêtre? Non, jamais je ne le pourrais. Dieu est ma conscience depuis mon enfance. Ma mère m'a transmis une foi inébranlable en la Providence. C'est elle qui me guide et j'espère en un avenir meilleur.

Pax a déjà un frère jésuite. Sa famille est religieuse à l'extrême, prude, sévère, étroite. Elle ne m'accepte pas. Elle me juge légère, émancipée, d'allure trop libre, parce que je suis gaie, enthousiaste; en un mot, j'aime la vie !

C'est vrai qu'à cette époque, j'ai de quoi faire peur ! Je me mets du rouge sur les lèvres, je fume la cigarette, je fais de la bicyclette et je fréquente une école de garçons. Cela suffit à leurs yeux pour me classer «indésirable» et sans principes. J'apprends que ses parents lui ont choisi une autre femme, plus sage, plus pondérée, plus à leur goût, et qu'il doit l'épouser bientôt. Le glaive s'enfonce encore plus profondément dans mon pauvre cœur meurtri. Pax a pourtant 29-30 ans. Lui, qui tiendra tête à la pègre, n'est pas capable de s'affirmer face à sa famille. C'est vrai qu'à cette époque, on se mariait rarement sans l'approbation de sa famille. C'était comme une garantie de succès et de bonheur. Malheur à celui ou celle qui osait passer outre !

Tout est donc fini entre nous. Ce grand amour qu'on croyait éternel est mort à tout jamais. Je sombre dans un désespoir profond. Ma vie n'a plus aucun sens. Je crois en mourir, mais la vie a des ressources insoupçonnées qui jaillissent tout à coup comme des geysers au milieu de l'océan glacé.

C'est fini, Pax n'est pas pour moi. J'en fais mon deuil, mais non sans pleurs, ni grincements de dents.

Coup de théâtre ! Ô surprise ! Alors que je suis encore toute à mon chagrin, deux semaines à peine avant son mariage, Pax revient et me déclare son amour. «C'est toi que j'aime. C'est toi que je veux épouser. Dis-moi que tu m'aimes encore !»

Nous nous marierons et rien ne pourra plus nous séparer. Il veut que nous fuyions, que nous nous sauvions comme des malfaiteurs. Mais après tout, qu'avons-nous fait de si mal ? Pourquoi agir comme des fugitifs ? Devant ce dilemme, ce nœud gordien, ce cas de conscience, j'hésite à donner une réponse immédiate. Il me faut réfléchir. Je suis à la fois heureuse et tourmentée. Mon cœur est à nouveau déchiré, car je l'aime toujours.

Je réfléchis sérieusement. Je prie avec ferveur. Je pèse le pour et le contre. Avant de penser à moi, je pense à sa fiancée qui ne sait rien de tout cela, à la peine qu'elle aura. Je ne lui en veux pas. Je ne la connais pas. Elle est plus âgée que moi de dix ans environ. J'aurai le temps de rencontrer un autre amour. Ce n'est pas elle la responsable. Elle n'a rien fait pour m'enlever Pax. Je mets toute ma confiance dans la Providence, qui ne m'a jamais abandonnée. Après bien des déchirements, des angoisses, des nuits blanches, ma décision est irrévocable : c'est non. Je crois en mourir, mais ce n'est pas encore pour cette fois. J'ai le cœur solide ! Pour me consoler de mon inconsolable chagrin, ma sœur Jeanne Gagnon me tient lieu de mère dans cette épreuve. En plus de ses trois enfants, Michèle, Louise et Charles, elle m'amène en vacances à Old Orchard. J'ai tellement pleuré, paraît-il, que le niveau de la mer en a monté ! Je vous fais grâce des détails de cette rupture. Imaginez une tragédie grecque. Ai-je eu tort ? Seul l'avenir le dira…

Ma vocation
VERS 1936

Après ma mésaventure amoureuse avec Pax, je me sens bien triste et bien seule. Qui voudra de moi maintenant ?

J'ai bien des amourettes par-ci par-là, mais aucune ne comble mon cœur. Les garçons que j'aime ne m'aiment pas et ceux qui m'aiment, je ne les aime pas. Voilà la situation. Où donc se cache le prince charmant ?

Les grandes questions existentielles se posent à mon esprit. Qui suis-je ? Dieu existe-t-il ? Quel sens a ma vie ? Pourquoi faut-il tant souffrir ? Tout de même, on ne peut pas passer sa vie à regretter le passé, à se poser des questions ? Il faut reprendre courage, oublier, lutter, vivre. Peu à peu, la vie reprend ses droits.

Une idée «salvatrice» me traverse l'esprit : je serai une sœur. Pourquoi pas ? Si les hommes ne veulent pas de moi, peut-être que le Bon Dieu me voudra, Lui ? À tout calculer, je me considère un assez bon sujet. J'ai toutes les qualités requises pour entrer en religion, comme on dit alors. J'ai une bonne santé, une assez bonne conduite, quelques talents à exploiter, un cœur compatissant. Je n'ai pas d'attaches humaines, j'ai besoin de me donner à quelqu'un ou à quelque cause. J'aime le Bon Dieu. Que faut-il de plus, dites-moi ? Avec tous ces atouts en main, il n'y a plus à douter de ma vocation. Je suis faite pour être sœur. Je crois sincèrement que toutes les portes des couvents s'ouvriront devant moi.

La chasse aux communautés religieuses commence. Le choix ne manque pas au Québec. Serai-je missionnaire, enseignante, infirmière ? Mon premier choix va aux Sœurs Blanches d'Afrique. Être missionnaire, ce doit être excitant ! Et l'Afrique, c'est l'exotisme. Je me vois déjà convertir tout le continent africain.

La maison-mère est à Québec. J'ai de bons amis à Québec qui m'accueillent avec beaucoup d'amitié et de surprise. Toi, faire une sœur, est-ce possible ? Je ne comprends pas leur hésitation. J'emprunte leur bicyclette et j'arrive à la porte du couvent en pédalant et en sifflant. Que je suis heureuse ! Après un long questionnaire et une investigation sérieuse sur ma petite personne, la Mère Supérieure demande quelques jours de réflexion avant de donner sa réponse.

Je ne suis pas inquiète du résultat. J'ai bien répondu à toutes les questions. Selon moi, «l'affaire est dans le sac». Je serai Sœur Marguerite, missionnaire d'Afrique. Quel beau titre !

Les quelques jours écoulés, je retourne chercher la réponse. La Mère Supérieure semble circonspecte. Elle se frotte les mains et me dit d'un ton assuré : «Mon enfant, malheureusement, on ne peut vous accepter dans notre communauté.» «Mais pourquoi donc, ma Mère ?» Je ne comprends pas. Je suis terriblement déçue, prête à pleurer. «Expliquez-moi, s'il vous plaît.» «Voici les trois raisons de notre décision, me dit-elle. D'abord, vos motifs ne sont pas assez spirituels : il faut plus qu'une peine d'amour pour avoir la vocation religieuse. Ensuite, je vous ai vue arriver à bicyclette. Vous semblez quelque peu émancipée et désinvolte. La dernière raison qui l'emporte sur les deux autres, c'est que vous avez eu plus de cinq permanentes. Des études sont présentement en cours sur l'effet nocif des permanentes sur le comportement de nos novices. Alors, vous comprenez, nous ne pouvons prendre de chance avec vous.» Le verdict est final. Je n'ai qu'à m'en aller. J'enfourche de nouveau ma bicyclette, en me disant : «Puisque les Sœurs Blanches d'Afrique ne veulent pas de moi, allons voir ailleurs...»

Malgré ce premier échec, je ne m'avoue pas vaincue. Pourquoi pas les Sœurs du Bon Pasteur ? Elles sont situées à Montréal, rue Sherbrooke, tout près de chez moi. Leur œuvre est bien belle. Elles s'occupent de filles perdues, de filles-mères et prostituées. Il me semble que je pourrais les comprendre. J'en ai beaucoup entendu parler par mon père qui avait à les juger comme «recorder». Il était plein d'indulgence pour elles. «Les vraies coupables, ce ne sont pas elles», disait-il, et il avait bien raison.

Une deuxième fois, je subis l'interrogatoire. Je suis sur mes gardes. Je ne veux pas faire de faux pas. Ma première expérience doit me servir. Je suis certaine que, cette fois, je réponds à toutes les exigences de la communauté. Et bien, la réponse est encore négative. Décidément, je n'ai pas de chance! La raison évoquée, c'est qu'une de mes tantes a perdu la mémoire à l'âge de 85 ans ! S'il fallait que j'aie cette hérédité ! On aime mieux ne pas prendre de chance.

Ce deuxième échec ne me décourage pas trop. Je continue mes recherches. J'ai bon espoir qu'un jour...

J'ai une grande amie, Germaine Monette, qui comme moi vit une crise mystique. Pourquoi ne pas chercher ensemble ? Nous pourrions entrer toutes les deux dans la même communauté. Ce serait moins difficile. Mais nous n'avons pas les mêmes goûts. Elle est du genre contemplatif. Son choix va vers les religieuses cloîtrées : Carmélites, Bénédictines. Je suis incapable de la suivre. Jamais je ne pourrais vivre enfermée, derrière des barreaux, toute ma vie ! J'aime trop la liberté pour cela. Prier huit heures par jour, c'est au-dessus de mes forces. J'ai déjà peine à faire ma prière du matin.

Mon amie se rend à mes raisons et nous continuons nos recherches. Nous avons toutes les deux étudié à Villa Maria chez les religieuses de la Congrégation Notre-Dame. Là, on nous connaît bien. On nous acceptera sûrement. Rendez-vous, interrogatoire, confession. Tout va sur des roulettes. Nous commençons à avoir l'habitude. Avec quelle impatience, nous attendons la réponse ! Elle arrive enfin : c'est oui ! Nous sommes acceptées toutes les deux. La rentrée est fixée à deux mois plus tard. Au lieu de la joie que j'espérais, c'est l'angoisse qui m'envahit. Je perds à la fois l'appétit et le sommeil. Je broie du noir une partie de la journée. Est-ce possible que je vive enfermée pour le reste de ma vie ?

Je vis seule avec ma mère depuis la mort de mon père. Elle me voit dépérir, étendue sans force sur le sofa du salon. Plus le jour de la rentrée approche, plus je sombre dans la tristesse. Comme ma mère est très discrète, elle n'ose pas trop intervenir dans ma décision. Cependant, elle se risque à me dire : «Ma pauvre petite fille, il me semble que le Bon Dieu n'en demande pas tant.» Mais moi je pense à toutes les sœurs qui ont dû vivre ces angoisses avant moi.

Je m'accuse. Je ne suis qu'une lâche, une faible. Il n'y a pas de mots pour décrire mon caractère pusillanime. Je ne sais pas vaincre les difficultés. Je ne sais pas accepter la souffrance. Pauvre de moi !

Pendant ce temps, mon amie vit les mêmes angoisses. On lui conseille d'oublier sa vocation religieuse et de penser à autre chose. Je la trouve bien chanceuse. Et moi, pourquoi ne ferais-je pas comme elle ? Adieu le couvent. Pour le moment, pensons aux garçons. Vive la liberté ! Vive la vie !

On veut me marier avec un «blind date»
1938

J'ai 23 ans et je suis encore célibataire. Dans deux ans, je serai «vieille fille». Quelle horreur !...

Une cousine éloignée, qui a un cousin éloigné célibataire, a conçu l'idée merveilleuse de nous marier. Une occasion unique se présente : le bal de la Faculté de droit de l'Université de Montréal. C'est l'événement de l'année pour la jeunesse universitaire de Montréal.

Le cousin en question est avocat. Il est beau, grand, mince et blond, c'est ainsi que la cousine le décrit. Peut-on désirer mieux ? Il habite Sherbrooke. Il est heureux de venir au bal ainsi que son ami avocat et célibataire, à condition que la cousine leur trouve deux compagnes. Évidemment, celles-ci doivent être belles, grandes, minces et blondes.

Bien que je ne remplisse les conditions requises à 100 %, ma cousine pense à moi, et moi je pense à mon amie Cécile Monette.

La proposition est acceptée, l'affaire est conclue. Il ne reste plus qu'à se préparer pour ce grand soir, tout en rêvant au beau grand jeune homme. Pour une jeune fille, aller au bal est une belle aventure. La toilette est très importante. On arbore avec fierté la belle robe longue en lamé or ou argent, ou autre tissu luxueux. Il faut trouver les souliers assortis, souvent trop petits, qu'on ne mettra qu'une fois, emprunter chez la grand-mère les «bijoux ancestraux», les gants de chevreau blanc, un peu jaunis, le petit sac du soir perlé. Bref, ne rien négliger pour se faire belle.

Enfin, le soir béni est arrivé !

Neuf heures: nous sommes toutes deux belles et prêtes. Comme nous n'osons pas bouger pour ne pas froisser nos robes, nous restons debout à attendre.

Neuf heures et demie: le téléphone sonne. Les élus de notre imagination sont en route. Ils seront bientôt là. Avec précaution, nous nous asseyons.

Dix heures: le téléphone sonne de nouveau. Ils approchent de la maison. Nous nous étendons sur le sofa du salon et attendons toujours.

Dix heures et demie: le téléphone ne sonne pas. Nous dormons profondément et rêvons.

Onze heures: ils ne sont pas encore arrivés. Nous ronflons bruyamment.

Minuit: l'heure fatidique sonne simultanément à l'horloge et à la porte. Nous nous réveillons. Ils sont là avec les bouquets de corsage fanés en main et un petit coup dans le nez, s'excusant de leur retard. Ils ont cherché à compléter leur tenue de soirée. Il leur manque la boucle blanche, le faux-col à pointes, les bretelles, les boutons de manchettes et que sais-je encore ?

Ma mère, toujours dévouée, se précipite dans les valises pour chercher les habits de cérémonie de mon défunt père, enveloppés dans le papier de soie jauni, et aromatisés à la boule à mites. Tout ne sied pas nécessairement aux jeunes avocats. Tant pis, le temps presse. Il se fait tard. Nous devons quitter la maison avant que le bal ne se termine.

Quatre heures du matin : retour à la maison. Soirée ratée. Rêves évanouis. Pas de demande en mariage en perspective. Voilà ce qu'on appelle un *blind date.*

Le voyage en Europe
1939

La période qui suit ce chagrin d'amour et ma vocation de sœur ratée s'annonce assez terne. Que faire maintenant pour mettre un peu de piquant dans ma vie de jeune fille ? Pourquoi ne pas voyager, élargir mes horizons, découvrir d'autres pays, augmenter mes connaissances ? «Les voyages forment la jeunesse», dit-on. Je suis encore jeune, j'ai 23 ans et j'ai grandement besoin de formation.

La décision est vite prise, comme d'habitude sans trop de réflexion. Je me fie à mon intuition et à mon instinct, et je pars.

Pour ce grand voyage d'une durée illimitée, j'ai en poche 500 dollars, ce qui est beaucoup à l'époque, héritage de mon oncle le curé. Ce cher oncle a 25 neveux et nièces qu'il chérit tendrement. Plusieurs d'entre eux lui ont déjà emprunté de l'argent. Comment être juste dans ce règlement de comptes ? Grâce à Dieu, mon oncle le curé possède la sagesse de Salomon. Il efface la dette des uns et donne de l'argent aux autres. Ce jugement est digne de passer à la postérité, comme ceux du roi Salomon.

En 1939, partir seule pour l'Europe n'est pas courant. On choisit ordinairement un voyage organisé. On part en groupe avec un guide, c'est plus sécuritaire et plus instructif. On ne perd pas son temps à visiter des lieux peu intéressants. Cela est sans doute vrai, mais je n'aime pas les sentiers battus. Je préfère l'aventure, l'imprévu, le risque même. Je possède une âme de pionnière. Hélas ! «Je suis née trop tard dans un siècle trop vieux» (quelqu'un l'a dit avant moi; rendons à César ce qui appartient à César). Malgré mon entêtement à partir seule, ma mère insiste pour que je me trouve une compagne. À deux, elle serait plus rassurée. Elle a sans doute raison. À tout âge, on reste toujours «la petite fille» à sa maman. Une amie, Simone Orsali, accepte de m'accompagner. Nous partons donc, valise en main, et non sac au dos comme aujourd'hui, à la découverte de l'Europe.

Au mois de mai 1939, nous nous embarquons sur un paquebot dont j'ai oublié le nom, amarré au Vieux port de Montréal. La vie à bord est une découverte qui nous enchante. Nous profitons de tout, la danse, les bons repas, les rencontres, les flirts…

Débarquées en terre française, au Havre, nous traçons un certain itinéraire fantaisiste avec la complicité de monsieur Michelin et de son guide. Ils nous sont très précieux et très fidèles.

Paris

Paris ! Paris ! Quelle ville, quel enchantement ! Que de merveilles à admirer. La Seine, les ponts, les quais, les boulevards, les musées, les places, les terrasses… J'arrête ici cette nomenclature, car je n'en finirais jamais. Mais, croyez-moi, je me fais plaisir à moi-même en remuant tous ces souvenirs.

À Paris, nous habitons un petit hôtel modeste, mais confortable, près de la Place Clichy. L'endroit n'est peut-être pas tout indiqué pour des jouvencelles comme nous, mais c'est très pratique. Nous sommes près de l'Opéra et de la Madeleine. Nous arpentons la ville du nord au sud, de l'est à l'ouest, de gauche à droite, à pied, en bus, en métro, malheureusement pas en vélo.

On ne se prive de rien : concerts, théâtre, spectacles. Un soir, c'est l'Opéra avec Madame Butterfly, un autre soir, les Folies Bergères (quel étonnement pour nos jeunes yeux), le Casino avec Maurice Chevalier en vedette; vraiment, on ne s'ennuie pas.

La Tour d'Argent

J'ai une amie, Sita Riddez, qui fait des études de théâtre au Conservatoire de Paris. Elle joue à la Comédie-Française ou au Théâtre de la Madeleine, Athalie, Esther, Cyrano. Grâce à sa gentillesse, nous devenons «profiteuses de billets de faveur». Pour la remercier de sa générosité, je l'invite à manger à la Tour d'Argent, le restaurant le plus huppé de Paris. Rien de trop beau pour les petites Canadiennes. Nous mangeons, buvons, rions, on nous sert dans des plats «d'argent», ça va de soi ! Deux ou trois garçons, autant de maîtres d'hôtel, bourdonnent autour de nous, comme des abeilles dans un jardin en fleurs. Tout ce beau monde est aux petits soins avec nous. Nous sommes dans l'euphorie, jusqu'au moment fatidique de l'addition. Quelle mauvaise surprise ! Ma digestion bloque. Jamais je n'aurai assez d'argent pour tout payer. Je compte mes francs. Je vide mon porte-monnaie. Je tourne mes poches à l'envers, hélas! Le compte n'y est pas. Je crains qu'on me jette en prison, qu'on me mette à la vaisselle pour payer ma dette. Rien de tout cela n'arrive, heureusement. Les francs de mes amies ont raison du déficit. Grâce à Dieu, nous pouvons sortir du restaurant, la tête haute. La prochaine fois, nous irons chez Mac Donald !

L'Italie

Avant de partir pour l'Italie, je trouve qu'il serait bon de connaître quelques mots d'italien. L'école Berlitz à Paris m'offre cette possibilité. Je ne suis pas très douée pour les langues. Après plusieurs leçons, j'ai pour tout bagage : «Io prendo un lapis e scrivo sulla tavola». Je traduis: «Je prends un crayon et j'écris sur la table.» Tout au long du voyage, j'essaie de placer cette phrase dans la conversation. Impossible, je n'y parviens pas. Tant pis ! Je découvre, sans l'italien, l'Italie et ses trésors culturels.

Après l'Italie, nous retournons en France. La Suisse, ce sera pour plus tard. Nous menons la vie de bohème, sans nous soucier du lendemain. À la fin du mois d'août 1939, nous nous trouvons à Nice dans une charmante petite pension familiale. Tout est beau, tout semble calme, lorsque l'on sent, tout à coup, surgir une agitation fébrile autour de nous. Partout l'on voit des soldats en uniforme. Mais comme on n'a jamais connu la guerre, chez nous au Canada, il est difficile de réaliser ce qui se passe : c'est la mobilisation générale, la guerre est imminente.

«Rentrez vite chez vous au Canada», nous conseille la maîtresse de la pension où nous logeons. La course au retour commence. Les transports en commun, trains et autobus, sont bondés de soldats. Tout le monde veut partir. Nous réussissons quand même à sauter dans le train Nice-Paris. Toute la nuit, nous sommes debout ou assises sur nos valises, tant il y a de monde !

À Paris, c'est la course folle aux billets qui commence. On nous renvoie d'un bureau à l'autre, d'un guichet à l'autre... Enfin, grâce à des amis, les Sicotte, nous quittons Paris pour Le Havre avec un faible espoir d'y obtenir un billet de retour pour le Canada. Du Havre, il faut traverser la Manche vers Southampton, en Angleterre, car c'est sur un paquebot de la ligne Cunard, l'ANTONIA, que nous partirons probablement, s'il reste de la place... Nous sommes très nombreux à faire la queue pour monter sur le bateau, mais nous parvenons de justesse à monter à bord. On nous pousse dans le dos. Nous sommes les dernières, puis la passerelle se lève derrière nous. Ouf !... Ça y est ! Cela tient presque du miracle ! Merci mon Dieu !...

L'ANTONIA vogue insouciante sur les eaux de l'Atlantique. Les passagers à bord sont bien loin de se douter qu'un autre paquebot de la ligne Cunard, l'ATHÉNIA, sa petite sœur jumelle, sera torpillé par les Allemands, trois jours plus tard et coulera avec tout l'équipage et les passagers, le 3 septembre 1939.

C'est le début de cette terrible guerre. Que de morts, que de souffrances durant toutes ces années ! Malheureusement, les hommes sont toujours les mêmes, prêts à recommencer encore et toujours les mêmes erreurs.

L'annonce de la déclaration de la guerre s'est répandue dans le monde comme une traînée de poudre. Nos parents et amis sont inquiets pour nous. Ils nous savent en mer. Étions-nous sur l'ATHÉNIA qui vient de sombrer avec tous ses passagers ? Que de questions angoissantes !

Heureusement pour nous, nous débarquons saines et sauves, quelques jours plus tard, dans ce «bon vieux» port de Montréal. Ma mère disait : «Il y a deux plaisirs, celui de partir et celui de revenir. Celui de revenir est encore plus grand.» Comme je lui donne raison !

3

Un bel amour

Un cocktail au Collège Stanislas
1942

En 1938, le Collège Stanislas de Paris a l'heureuse idée de venir s'établir à Montréal, après les demandes répétées de personnalités canadiennes, dont le sénateur Dandurand. C'est à Outremont, sur la rue Rockland, qu'il installe ses pénates. L'abbé Amable Lemoyne, aviateur héros de la guerre 1914-1918, en est le premier directeur. Il débarque avec quelques professeurs français, dont M. et Mme G. Boulizon, M. P. Ricour, M. Champroux et M. Cohadon, tout fiers de dispenser leur savoir et leur dévouement aux jeunes garçons canadiens-français (l'appellation «québécois» n'est pas employée alors).

Les inscriptions se font nombreuses. Les professeurs sont accueillis chaleureusement. On veut les connaître, les recevoir chez soi. Dîners, soirées, cocktails sont donnés en leur honneur. On peut presque ajouter sans exagération qu'ils sont la coqueluche de la société montréalaise.

En 1942, on est en pleine guerre. Au Collège Stanislas de Montréal, on a un urgent besoin de professeurs, mais la France ne veut pas laisser partir ses hommes qu'elle réquisitionne pour la guerre. Cependant, le professeur René Lescop, choisi pour venir à Montréal, est réformé officiellement à cause de son poids inférieur à la norme exigée. Ses papiers sont en règle. Il peut donc partir. Mais voilà que tout change sous l'occupation allemande et le régime de Vichy. La France est divisée. Avec un autre professeur qui l'accompagne, Jacques Voisine, ils doivent, non sans difficulté et au risque de leur vie, passer la ligne de démarcation en fraude pour se rendre à Lisbonne et de là, à Montréal où ils arrivent sains et saufs. Leur arrivée ne passe pas inaperçue et pour cause!

On leur a raconté en France qu'il fait très froid au Canada et qu'il faut se vêtir en conséquence. Ils débarquent donc du bateau par un beau matin d'octobre, habillés comme s'ils allaient pratiquer la trappe dans le grand Nord, portant bottes, parka, cache-col... alors qu'à Montréal, on est en plein été des Indiens !

Trois de mes neveux, Jérôme, Gilbert et Romain Choquette, sont élèves au Collège et ma sœur Pauline, leur mère, affectionne beaucoup les réceptions. À la fois intellectuelle et sociable, elle aime tenir salon à la manière de Madame Récamier ou de Madame Geoffrin, l'un de ses plus grands plaisirs étant de parler littérature avec ses invités.

Pauline m'aime beaucoup, bien que je ne sois pas assez intellectuelle à son goût. Sans doute a-t-elle raison, mais que voulez-vous, chacun son genre!

Afin de mieux connaître les professeurs de ses fils, elle décide de donner une petite réception en leur honneur où elle convie amis et parents ainsi que sa petite sœur. L'invitation se lit comme suit :

«M. et Mme Claude Choquette vous prient d'être présent à la réception qu'ils donneront le dimanche 19 avril 1942, à partir de 17 heures.»

Bien que j'aie toujours aimé les réceptions, j'avoue que cette fois-ci je m'y rends quelque peu à reculons, car tous ces Français de France m'intimident. Je n'ai pas trop confiance en moi quoique je donne souvent l'impression du contraire. Mais je me dis qu'il faut savoir se vaincre et passer par-dessus les difficultés.

Je me lance donc dans la mêlée, bien décidée à être tout simplement moi-même. Mon neveu Gilbert me présente à son professeur, René Lescop, avec qui j'échange quelques propos anodins sur nos activités respectives, le climat, la température, le pays...

Un des invités, Luc Choquette, a apporté des photos de son récent voyage en Gaspésie. D'habitude, les séances de diapositives m'ennuient à mourir. Mais ce soir-là, l'activité ne me déplaît pas du tout. Je trouve même que ça passe trop vite...

Quand la projection a commencé, nous nous sommes assis par terre, faute de chaises, le jeune professeur et moi. Et quand les lumières se sont rallumées, même s'il ne s'est rien passé, le jeune homme à mes côtés ne me semble plus le même. Il est devenu plus loquace, presque volubile. Il semble conquis par le charme de la Gaspésie, la mer, ses paysages... Ou serait-ce mon charme qui aurait agi ? Il me dit qu'il aimerait beaucoup visiter ce coin de pays l'été prochain...

Je le regarde d'un peu plus près. Il me plaît. Il a de beaux yeux bleus comme la mer de Bretagne, son pays d'origine. De taille moyenne, il n'est ni trop grand, ni trop petit, ce qui me convient plutôt bien puisque je suis moi-même assez petite. Ses cheveux bruns sont rejetés en arrière, sans qu'une raie ne vienne les séparer. Son front est large et sa bouche assez grande. Il porte la tête haute, ce qui lui donne une allure distinguée. Il est très mince, pour ne pas dire maigre, mais il est très élégant dans sa démarche. Il a un air raffiné, racé. Il parle calmement, lentement même, avec son bel accent français. Tout cela plaît à mes yeux, à mes oreilles et à mon cœur. De défauts, je n'en vois point encore, cela viendra !

La conversation est bien engagée. Il me dit, entre autres choses, qu'il aime faire de la bicyclette. Le mot magique, le mot-clé est lancé : bicyclette ! Moi aussi, j'aime beaucoup la bicyclette ! Quelle coïncidence ! Comme le hasard — ou la Providence — fait bien les choses !

«Pourquoi n'irions-nous pas en faire ensemble ?», me propose-t-il. Sans hésiter, j'acquiesce. Nous sommes le dimanche 19 avril 1942. Mais comme il est très consciencieux, il reporte la randonnée après la fin des classes, vers le 15 juin. «Si vous voulez bien me donner votre numéro de téléphone, je vous appellerai durant les vacances...»

À cet instant même, une petite étincelle de bonheur jaillit dans mon cœur. Nous nous sommes quittés en nous serrant la main et en nous disant un au revoir plein de promesses.

Après son départ, je me suis mise à chanter un succès de Rina Ketty, chanteuse très à la mode pendant la guerre. Les gens de mon âge s'en souviendront sûrement : «J'attendrai le jour et la nuit... J'attendrai ton retour... »

Cette nuit-là, le sommeil mit beaucoup de temps à venir. Je chantais toujours. Quand vint enfin le petit matin, il était accompagné de rêves habillés de rose et je chantais toujours... «J'attendrai le jour et la nuit... j'attendrai ton retour...»

Le professeur et la bicyclette
AVRIL 1942

Les jours passent, pareils à eux-mêmes, mais moi je ne suis plus la même. Cette rencontre m'a bouleversée. Je pense à lui sans cesse. Pourtant, j'essaie de le chasser de mes pensées. Il ne sert à rien de se faire des illusions. Si j'ai à tomber, il vaut mieux que cela ne soit pas de trop haut, cela fait moins mal. Mon petit cœur, il me faut le ménager. Je préfère la zone grise dans laquelle je vis aux mirages multicolores. Après tout, j'ai une tête sur les épaules !...

Je retourne à ma routine quotidienne. Pour passer le temps, je travaille comme téléphoniste dans une imprimerie, la Mercury Press. Ce n'est guère palpitant mais j'aime l'atmosphère familiale et très détendue du bureau. Je suis amie avec tout le monde sauf, peut-être, le patron, et pour cause...

Je fais mon apprentissage au *switch board* (le standard). J'avoue que je ne suis pas très douée pour la mécanique. Alors que le patron reçoit un «longue distance» de New York, moi, tout innocemment, je tire sur le mauvais fil et lui coupe sa conversation. En furie, le patron sort de son bureau et crie : «Who's that dumb switchboard girl we have on ?» Quelle humiliation pour une personne de ma qualité !...

Revenons à mes amours en perspective. Le vendredi qui suit notre rencontre, le 24 avril, en revenant du cinéma, ma mère avec qui je demeure me dit qu'un Français de France a téléphoné. Mes questions fusent : Qu'a-t-il dit ? Va-t-il rappeler ? A-t-il laissé son numéro ? Autant de questions qui restent sans réponse. Il ne me reste qu'à me calmer, à être patiente, ce qui, j'avoue, n'est pas facile.

Le lendemain, samedi, je m'installe à côté du téléphone et j'attends. Heureusement qu'il ne me voit pas. Je suis prête à passer la journée, s'il le faut, sans bouger, sans manger.

Oh ! miracle ! Le téléphone sonne. C'est lui. J'ai envie de mettre une majuscule à Lui. Il me propose de faire une balade à bicyclette, l'après-midi même. Nous irons chez des amis à lui à l'île Bizard, chez madame Le Roy, sympathique propriétaire d'un restaurant d'alors, Chez Pierre. Je propose d'apporter le pique-nique; il dit que c'est une bonne idée. Je quitte ma robe de deuil et revêts ma robe de fête !

Nous partons tout joyeux vers cette destination «bizarre». Ah ! Qu'il fait beau! Jamais journée ne m'a parue si belle! Au lieu de pédales, il me semble que ma bicyclette a des ailes. Je vole dans les airs plus que je ne roule sur la terre !

Le temps passe vite, très vite en agréable compagnie. Il faut déjà penser au retour. Le soir tombe, il fait déjà nuit. Nous enfourchons nos bécanes et prenons la direction de Montréal. Après avoir pédalé quelques kilomètres, nous sentons le besoin d'arrêter. Nous feignons la fatigue. L'endroit choisi est magnifique. Nous sommes sur un joli pont qui enjambe une petite rivière. L'atmosphère est tout à fait propice au rapprochement. Appuyés sur le parapet, coude contre coude, nous admirons la rivière qui coule tranquillement sous nos yeux. La lune est au rendez-vous. Soudainement il me dit : «Si j'osais ?», et n'en dit pas plus. Silence de mort ou de vie ?

Je suis troublée par ces mots. Que se passe-t-il dans sa tête ? À quoi pense-t-il ? Je le sens délicat et timide. Je pense en moi-même : s'il osait, il me demanderait sans doute la permission de m'embrasser. Comme il ne dit rien, je deviens plus osée et reprends son interrogation : «Si vous osiez quoi ? Dites-le moi !» La réponse est incroyable, inimaginable, inattendue. Elle me frappe à la fois le tympan, le cœur et tout l'être. Ai-je bien entendu ? S'il vous plaît, répétez !

«Si j'osais, je vous demanderais d'être ma femme...» Sans réfléchir un instant, ma réponse ne se fait pas attendre, c'est oui. Je suis folle, complètement folle ! Il est fou, complètement fou !

Est-ce possible que deux êtres sensés perdent la tête à ce point-là ? Il y a cinq jours à peine, René m'était un parfait inconnu, et voilà que je viens de m'engager pour la vie avec lui. C'est certainement ça qu'on appelle un coup de foudre !...

Il est 10 heures du soir. Il faut s'arracher de ce lieu béni que sont les bras de l'autre pour repartir vers Montréal. Nous remontons sur nos CCM rouges, criant, chantant à qui veut bien l'entendre : nous sommes amoureux et nous allons nous marier ! Il nous semble qu'il faut partager notre amour avec le monde entier. René me dit : «Fixez la date de notre mariage afin que je puisse compter les jours.» Mais je ne sais même plus à quel endroit je me trouve, j'ai perdu la notion du temps ! Après avoir quelque peu repris mes esprits, je lui lance au hasard : le 1er juillet.

Arrivés à Montréal, je l'invite à venir rencontrer ma mère. C'est sans doute mieux qu'elle le connaisse avant de lui annoncer notre mariage. Pauvre maman, je l'aime beaucoup ! Je ne voudrais pas qu'elle meure d'une syncope en apprenant la nouvelle ! Je ne pourrais pas le supporter.

Nous venons d'emménager, ma mère et moi, sur le boulevard Saint-Joseph Ouest. Les caisses sont encore éparpillées dans la maison. On ne voit pas les meubles tant il y en a. Je fais asseoir mon prince charmant sur une boîte de carton. Ma mère est couchée. Je la fais lever et lui présente l'élu de mon cœur. Elle semble le trouver de son goût. Après avoir échangé quelques politesses, il repart chez lui car il se fait tard. Demain, il viendra me chercher vers midi afin que nous allions dîner ensemble.

Une fois seules, maman me demande : «Le trouves-tu de ton goût celui-là ?» Je réponds que oui, en retenant le plus possible mon enthousiasme pour le jeune Français. Il faut y aller *pianissimo* avant d'annoncer à maman la date de notre mariage, ce qui fut fait le lendemain. Toute la nuit y passe. Maman, qui est la sagesse même, trouve qu'avant de l'épouser, il faudrait peut-être prendre quelques renseignements sur lui. Qui est-il ? D'où vient-il ? Quel est son passé ? Toutes ces questions me passent par-dessus la tête. À mes yeux, le fait qu'il soit professeur à Stanislas lui procure beaucoup d'avantages. Il part gagnant.

La nouvelle a vite fait le tour de la famille. On s'interroge, on discute, on enquête, tandis que René et moi roucoulons comme de jeunes tourtereaux. Nous planons au-dessus de toutes ces contingences.

L'enquête est terminée. Le verdict est positif. La famille est d'accord avec cette union qui semble un peu hasardeuse mais qui promet aussi, puisque l'ingrédient essentiel y est: l'amour.

Mais à bien y penser, pourquoi devrions-nous attendre le 1er juillet pour convoler en justes noces ? Devançons la date de notre mariage, aucune raison ne s'y oppose. Au contraire, c'est urgent !

Le mariage sera donc célébré en l'église Saint-Viateur d'Outremont, le 13 juin 1942. La mariée est belle et mince et le marié non moins beau !... Ici se termine ma quête d'amour et commence la période la plus fructueuse de ma vie. Mais avant, les fiançailles !

Les fiançailles
MAI 1942

Il y a 50 ans et plus, les fiançailles constituaient une étape importante avant le mariage : on ne pouvait passer outre. Elles duraient en moyenne deux ans mais certaines ont duré beaucoup plus longtemps : six ou sept ans, ce n'était pas rare à l'époque ! Soit que le fiancé n'avait pas de situation — il était inconcevable de se marier sans être installé dans la vie — , soit qu'il n'était pas pressé. C'est le moins qu'on puisse dire!

Les fiançailles étaient pour le garçon une sorte de «mise de côté» et pour la fille un «temps de sécurité». Pendant que le garçon préparait son avenir, la jeune fille préparait son trousseau. Elle courait d'un magasin à l'autre pour acheter draps, serviettes, couvertures et lingeries sur lesquels, telle Pénélope, elle brodait ses initiales et celles de l'heureux élu.

Moi, je n'ai pas eu le temps de broder nos initiales mais je les ai fait graver sur la coutellerie en argent offerte par le Collège Stanislas. À la vendeuse de chez Birks qui, hélas, ne parlait pas un mot de français, je dis spontanément : G & L, comme dans «Great Love». L'amour me sort littéralement par tous les pores de la peau...

Durant la période des fiançailles, il était permis au fiancé de visiter sa promise trois ou quatre soirs par semaine, les soirs de veillée. Cela peut sembler étrange aujourd'hui, mais il n'y a rien d'aussi bon que le désir...

À l'approche du grand jour, des réceptions sont données en l'honneur de la future mariée. Les *showers* de tasses, de lingeries et de batteries de cuisine se succèdent. Cinquante ans après, il me reste encore quelques-unes des belles tasses en porcelaine qui m'ont été offertes. Par miracle, elles n'ont pas toutes été cassées !

La bague de fiançailles est une partie essentielle du

rituel. Aussi, dès que la demande en mariage de René est officiellement acceptée, nous sommes dans les magasins à choisir la bague. Notre choix est unanime. Il se porte sur une jolie bague délicatement sertie d'un saphir et de deux petits diamants. Gage de l'amour de mon bien-aimé, je la porte avec fierté, joie et bonheur ! Que ce temps est heureux où je chante sans cesse : «J'aimerai toujours le temps des cerises...»

Imaginez la surprise de mes amies alors que, du jour au lendemain, sans avertissement aucun, je leur annonce mes fiançailles et mon mariage prochain. Dire qu'elles sont estomaquées est faible...

On prétend que les fiançailles sont faites pour permettre aux futurs époux de mieux se connaître. Sans vouloir être cynique, je dirais que c'est plutôt pour connaître le bon côté de la personne. Le moins bon, on le garde pour plus tard... Ne dit-on pas que c'est l'occasion qui fait le larron ?

Après les courses et les nombreux essayages chez la couturière et la modiste, arrive enfin le jour tant attendu. La réception a lieu chez ma sœur Pauline, là où, grâce à mes neveux, nous nous sommes rencontrés pour la première fois. Les jardins de la rue Wilson offrent aux invités leur immense tapis de gazon vert, leurs fleurs et leurs parfums. Le soleil est au rendez-vous. Il fait beau et chaud. Rien ne manque à notre bonheur. Ni la joie, ni les rires, ni l'amitié, ni l'amour. Et comme aux noces de Cana, le vin coule à flots...

Dans les jours qui suivent, on lit dans la chronique «La vie sociale» du quotidien du matin que le samedi 13 juin 1942, a été célébré le mariage de René Lescop et de Marguerite Geoffrion, qui portait pour l'occasion une longue et magnifique robe en crêpe blanc, de style grec avec torsade à la taille, et que son bouquet était composé de marguerites... Le frère de la mariée, Jacques Geoffrion, était son témoin.

Je ne me souviens pas si l'on décrivait la tenue du marié, mais ce dont je me souviens, c'est qu'il était très beau dans son *morning coat*, avec sa lavallière et son chapeau haut de forme.

Que de beaux moments ! Que de beaux souvenirs ! Que de bonheur en nous et autour de nous ! Si c'est ça le ciel, je veux bien tout faire pour y aller !

Après la réception chez ma sœur, vint le temps de quitter nos invités. J'allai mettre mon costume de voyage, un deux-pièces chocolat au lait tout comme mon chapeau de feutre. Il faisait plus de 30 degrés ! Ce que j'ai pu suer sous mon chapeau ! Mais que ne faut-il pas sacrifier à la déesse Mode ! Après avoir lancé mon bouquet au milieu des «Hourra ! Bravo ! Bon voyage !», nous partîmes quelques jours faire notre premier voyage de noces, question de se familiariser avant le fameux voyage que nous projetions de faire: le tour de la Gaspésie à bicyclette.

Premier voyage de noces
DU 13 AU 16 JUIN 1942

Jusqu'à présent, on ne peut pas dire que notre mariage soit un mariage de raison. Tout s'est passé si vite, qu'on n'a pas tellement eu le temps de penser et de réfléchir. Après ce fameux cocktail du 19 avril, la demande en mariage du 25, les fiançailles officielles du 27, et le mariage du 13 juin, nous voici arrivés à Saint-Faustin. Pourquoi cet endroit ? Qui a bien pu nous mettre cette idée dans la tête ? A-t-on idée d'une telle destination pour un voyage de noces ? Ce patronyme n'a rien de bien romantique ! Nous aurions dû continuer quelques kilomètres plus loin sur la route du Nord, et nous arrêter à l'Annonciation ou à la Conception. Cela aurait sans doute été beaucoup plus approprié pour notre première nuit de noces !

L'auberge où nous logeons est assez accueillante vue de l'extérieur : l'eau, les arbres et les fleurs l'entourent de leur beauté. À l'intérieur, ce n'est pas le grand luxe !

Mon déshabillé et ma robe de nuit en satin blanc et dentelle ne conviennent pas tellement au décor rustique de l'auberge. Une «jaquette de flanellette» aurait sans doute été plus appropriée.

La chambre est sombre, lambrissée de bois foncé et très exiguë. Il m'est difficile de faire la belle entre le lit, la commode et la chaise. On dirait une cellule de moniale avec le mari en plus. Pour dire une partie de la vérité, la nuit ne fut pas des plus faciles... Les rêves romantiques de la jeune fiancée d'hier se sont vite évaporés dans la nuit noire et froide de la réalité.

Le lendemain matin, au petit déjeuner, l'aimable aubergiste nous montre les photos de notre mariage parues dans divers journaux : nous sommes tout sourires !

Depuis notre première rencontre, René et moi n'avons vécu que de beaux moments, parfois exaltants. Comme disait la mère de Napoléon : « Pourvu que ça doure ! » Mais cela ne «doure» pas toujours, comme l'expérience trop souvent nous le prouve. La vie est remplie de joies et de peines, de rires et de pleurs, et cela est bien ainsi. Autrement, combien serait monotone la vie ! Il faut savoir l'accepter telle qu'elle se présente et en tirer le meilleur parti...

Mais trêve de philosophie. L'auberge où nous logeons sur les bords du lac met à la disposition de sa distinguée clientèle diverses embarcations afin qu'elle puisse profiter pleinement des plaisirs nautiques qui s'offrent à elle : yachts, canots et chaloupes sont amarrés sur la grève. Il fait terriblement chaud. Après avoir enfilé nos maillots de bain, nous arrêtons notre choix sur une verchère qui nous semble plus sécuritaire qu'un canot puisque, bien que fils de marin, René ne sait pas nager.

Comme nous sommes heureux ! Tout l'après-midi nous échangeons moult regards, baisers, caresses, avec l'insouciance des amoureux tandis que le soleil jette ses rayons ardents sur nos peaux blanches de citadins. Mais tandis que j'ai la peau dure, mon pauvre mari l'a bien tendre : il est brûlé au deuxième degré !

J'ai beau lui appliquer amoureusement sur tout le corps pommades, onguents, gelées de toutes sortes, rien ne le soulage. Il a froid, il grelotte. Je le couvre de couvertures jusqu'à l'étouffer. Je me couche à ses côtés. Mais comme Abilag, la Sunamite, couchée auprès du vieux Roi David, je ne parviens pas à le réchauffer.

Je prends sa température : 104° ! Il est si malade que j'ai peur qu'il en meure ! Vais-je revenir veuve de mon voyage de noces ! Cette pensée me terrorise ! Que faire ? La meilleure chose est de rentrer à Montréal, le plus tôt possible.

Il nous faut reprendre le petit train du Nord au plus vite. Mais pour cela, il faut s'habiller et mon pauvre mari n'est même pas capable d'enlever son pyjama tant sa peau brûlée le fait souffrir ! Il a les poils des jambes et des cuisses collés au pyjama ! La solution : enfiler son pantalon par dessus.

Ma compassion est grande pour mon jeune époux qui souffre le martyr. Mais elle ne suffit pas à le guérir. Il faut faire appel au médecin, ce qui est exceptionnel dans ma famille où l'on attend ordinairement d'être à l'article de la mort avant d'appeler l'un des disciples d'Hippocrate, lequel arrive souvent en même temps que le prêtre.

Mais comment faire pour lui enlever son pyjama ? Une idée lumineuse me vient à l'esprit. Je prends une lame de rasoir bien affûtée, et la glisse délicatement entre la peau et le tissu que je soulève. Ouille ! Non sans quelques gémissements du grand brûlé, d'une main experte, je coupe tranquillement les poils si bien que le travail est terminé lorsque le médecin fait son entrée. En examinant les plaies, il s'exclame : «Quelles belles brûlures ! Mais rassurez-vous, cela n'est pas mortel, mes jeunes tourtereaux !» Il prescrit quelque pommade magique et voilà le processus de guérison enclenché.

Au bout de quelques jours, le grand brûlé est remis

sur ses pieds, déjà prêt à pédaler avec sa dulcinée. Pourquoi ne ferions-nous pas un second voyage de noces puisque le premier n'a pas été trop réussi ? Oublions tout et recommençons. Partons pour la Gaspésie ! Vive la vie ! Vive la bicyclette ! Vive l'amour !

Second voyage de noces
JUILLET 1942

Nous sommes maintenant bel et bien mariés, pour le meilleur et pour le pire, tel que nous l'a rappelé le ministre du culte qui a béni nos deux destinées. Le meilleur, nous le vivons actuellement.

Lors de la première rencontre entre le professeur français et la petite Canadienne française, deux mots se sont nettement détachés de la conversation : bicyclette et Gaspésie. Comme dans une bonne recette, mélangeons ces deux ingrédients, sans oublier d'y ajouter l'essentiel : l'amour. Il en sortira sûrement un plat savoureux.

Qui risque rien, n'a rien. C'est ainsi que se font les grandes découvertes. Une fois que nous avons conçu l'idée d'un tour de la Gaspésie à bicyclette comme second voyage de noces, il ne nous reste plus qu'à le réaliser.

Rien ne nous arrête, pas même les objections et les protestations qui fusent de toutes parts. Nos parents et nos amis nous trouvent complètement fous. Nous en convenons avec eux : fous nous le sommes, mais un grain de folie n'a jamais fait de tort à personne...

En ce temps-là, faire le tour de la Gaspésie en voiture était déjà toute une aventure, alors imaginez à bicyclette ! Et en voyage de noces ! C'était comme si nous voulions entreprendre l'ascension de l'Everest ! En plus de nous traiter de fous, on nous qualifie aussi de héros, ce qui flatte notre ego et nous encourage davantage à poursuivre notre projet.

Les préparatifs de cette expédition vont bon train. La chose la plus importante, c'est évidemment la bicyclette. Mais à cette époque, le choix n'est pas très compliqué. Il n'y a pas comme aujourd'hui de bicyclettes de course, de ville, de randonnée ou de montagne; ni à trois, cinq, dix, quinze et vingt vitesses. Des selles étroites ou larges, en cuir ou en tissu ? Pas question. Des pneus étroits, des cadres multicolores ? Non, rien de tout cela. Il n'y a que la bonne vieille CCM standard.

Je veux lui rendre un hommage posthume, digne de ce qu'elle a été. Solide comme le roc de Gibraltar, fière comme Artaban, jamais de saute d'humeur, toujours fidèle à elle-même. Convenant à tout le monde, aux débutants comme aux experts, elle était rouge ou bleue, au choix, rouge pour les passionnés, bleue pour les sages...

Les nôtres étaient rouges avec un porte-bagages à l'arrière qui nous permettait de transporter une mini-valise. Merci à toi, chère CCM, de nous avoir procuré tant de joies et si peu d'ennuis ! Qu'es-tu donc devenue ? Hélas, on ne parle plus de toi ! Ainsi en est-il des gens et des choses disparus. Tout tombe dans l'oubli. Ma mère dirait : «L'actualité a la vie courte !» Mais ne soyons pas mélancolique, le temps est aux exploits.

Afin d'être dignes de notre CCM, nous devions sans doute arborer de très beaux atours. Malheureusement, je n'en ai gardé aucun souvenir. Ce que je sais cependant, c'est que nous n'avions ni casques protecteurs, ni maillots jaunes, ni culottes collantes dites à tort cuissardes, ni gants aux doigts tronqués. Rien de tout cela pour nous donner fière allure comme le cycliste d'aujourd'hui. Nous n'avions que la fougue des amoureux !

Départ pour Saint-Siméon
- Le dompteur -

Nos deux CCM rouges n'attendent que notre premier coup de pédale pour s'engager sur la route de l'aventure. Comme nous, elles devront attendre jusqu'à Rivière-du-Loup avant de mettre le cap sur les chemins qui nous mèneront à Percé.

C'est donc sans tambour ni trompette que nous prenons le train à Montréal à destination de Saint-Siméon. Il faut savoir ménager sa monture pour se rendre à bon port.

Des amis de Québec, les Cauchon, nous invitent à passer quelques jours à leur chalet de chasse situé à Saint-Siméon. C'est une invitation à ne pas manquer car René, frais «déballé» de France, ne connaît pas la belle nature sauvage du Québec. Nous sommes accueillis chaleureusement et l'on fait tout pour nous être agréables.

Les hommes organisent une partie de chasse avec un guide expérimenté. Les femmes en sont évidemment exclues. Le temps de l'émancipation n'est pas encore arrivé. Mon mari est ravi de cette première expérience. Il en recherche sans doute une deuxième puisque, par un bel après-midi, il décide d'aller seul explorer le bois. «Une petite promenade, pas loin du chalet», dit-il.

Il s'engage donc sur un sentier, et par l'odeur alléché, s'enfonce de plus en plus loin dans le bois. L'heure avance, la nuit tombe. René ne revient toujours pas. L'attente se transforme en inquiétude. L'inquiétude en angoisse, l'angoisse en panique. Que fait-il ? Où est-il ? Il est probablement égaré au milieu de la forêt, ou s'est-il fait dévorer par quelque bête sauvage ? Il faut le sauver...

Le guide et quelques amis décident de partir à sa recherche. Ils ont à peine quitté le camp que M.O.N.S.I.E.U.R. apparaît, frais comme une rose, l'air détendu, presque vainqueur. Il nous raconte avec moult détails, la rencontre inattendue qu'il vient de faire. Il marchait dans un sentier, lorsque, au détour du chemin, il est arrivé face à face avec un ours énorme.

Au lieu de s'affoler et de prendre ses jambes à son cou, il reste calme, imperturbable, cherchant à l'apprivoiser, ce qu'il réussit. Comment ? En usant de son charme, comme il avait fait avec moi. Quel homme ! Il pourrait ajouter à son *curriculum vitae*: dompteur d'ours.

Le vrai départ

Notre palpitant séjour à Saint-Siméon terminé, nous prenons le traversier qui nous mène à Rivière-du-Loup. Là, c'est bien vrai. Nous commençons notre fameux périple qui nous fera faire le tour de la péninsule gaspésienne. La côte du Saint-Laurent offre à nos yeux des paysages splendides. Nous sommes dans l'émerveillement. Nous pédalons avec la frénésie des jeunes coureurs. Nous parcourons en moyenne 50 milles par jour. Au gré de notre fantaisie, nous choisissons de beaux endroits calmes et discrets, pour nous reposer, pique-niquer et nous livrer à quelques ébats amoureux, bien légitimes vous en conviendrez, pour de jeunes mariés.

Le soir, nous nous arrêtons fourbus, mais fiers de notre journée, dans de petites cabines dissimulées au hasard de la route.

L'espion
JUILLET 1942

Nous sommes en pleine guerre, au début d'août 1942. Un sous-marin allemand vient d'être coulé dans le fleuve Saint-Laurent. Des survivants se sont échappés. Combien ? On l'ignore. Ils se cachent probablement sur la côte de Gaspésie. Tout le monde est aux abois. Il faut les retrouver vivants, à tout prix. Une récompense est promise à celui qui mettra la main au collet de l'un de ces ennemis allemands. La chasse est commencée.

L'après-midi est magnifique. La température, idéale. Nous sommes à Manche-d'Epée au milieu d'une de ces côtes quasi impossibles à monter à bicyclette. Nous marchons à côté de nos bicyclettes et voilà qu'un soldat zélé nous interpelle. «Hey ! Vous là ! Vos papiers ! Montrez-moi vos papiers !»

Quoi ! Est-ce possible que l'on prenne mon mari pour un espion ? René, aux beaux yeux rêveurs, à l'air si doux, si bon et si inoffensif. Mais il faut comprendre le soldat. Il faut se méfier de tout le monde. «Le diable est souvent déguisé en ange de lumière.» Le soldat insiste : «Hey ! Là ! Vos papiers !» René refuse toujours. «Vos papiers ou je vous arrête, O.K. là.» René s'objecte en articulant avec son accent français : «Vous n'avez aucun droit sur moi. Je n'ai pas à vous montrer mes papiers. Je n'ai commis aucun acte répréhensible.» Par malheur, il a ouvert la bouche, il est devenu encore plus suspect. Son accent l'a trahi. Le soldat devient furieux. René avec «sa tête de Breton» résiste toujours.

Moi, j'assiste impuissante à ce duel de paroles qui semble vouloir dégénérer en combat de boxe. En un instant, d'un regard, je jauge la force des pugilistes. Leur force physique ne se compare pas. René sera sûrement mis hors de combat à la première ronde par un retentissant K.O. Je m'interpose et supplie René de céder aux demandes «illégitimes» du soldat.

Encore une fois, égoïste que je suis, je pense à moi. Je me vois veuve pour une deuxième fois, la première étant en voyage de noces à Saint-Faustin de «mauvaise mémoire». Je ne puis le supporter. C'est trop pour mes forces ! René me regarde et me voit presque anéantie. Il a pitié de moi. C'est alors qu'il met enfin la main dans sa poche et d'un geste lent, presque provocateur, sort ses papiers d'identité en bonne et due forme. Le soldat est satisfait et nous laisse partir. Nous continuons notre périple et comme deux cupidons ailés – bien assis sur leur CCM rouge – nous filons vers Percé, ce bijou de la Gaspésie.

4

La vraie vie

Boulevard Saint-Joseph
SEPTEMBRE 1942

Un beau conte de fée se termine ordinairement par ce souhait : «Ils se marièrent et eurent beaucoup d'enfants.» Notre conte de fée à nous ne fait que commencer.

Nous venons de terminer notre voyage de noces, le tour de la Gaspésie à bicyclette. «Mission accomplie !» C'est maintenant le moment de passer aux choses sérieuses. «Toute bonne chose a une fin», disait ma mère.

Après avoir pédalé pendant plus de deux mois, nos corps sont en pleine forme, les muscles raffermis, les mollets durs comme le roc, le cerveau bien oxygéné. Il ne nous reste plus qu'à affronter la vie... conjugale, avec tout ce qu'elle nous réserve de surprises.

Nous habitons, boulevard Saint-Joseph, le haut d'un duplex de six pièces. C'est la maison que maman et moi avions louée pour nous deux, à la mort de mon père. De René, il n'en était pas question à ce moment-là. Je ne le connaissais même pas. Depuis, nous formons un ménage à trois, maman, mon mari et moi-même. Il durera ainsi environ 24 ans, jusqu'à la dernière maladie de maman.

Cette situation est impensable de nos jours et pourtant nous avons vécu très heureux ensemble, malgré quelques petites frustrations de part et d'autre.

René s'initie tranquillement à la vie de famille, à la vie québécoise, à son collège, à ses élèves, à sa femme, à sa belle-mère. Ouf ! Cela fait beaucoup de choses à apprendre en même temps. Je devine en lui une bonne capacité d'adaptation. Je le trouve héroïque de relever un tel défi et de sortir vainqueur de ce marathon d'endurance. Mais comme l'a si bien dit Corneille, avant moi: «À vaincre sans péril, on triomphe sans gloire.»

Pendant que René perfectionne son métier de professeur, moi, je m'initie aux travaux domestiques : cuisine, couture, ménage, etc. Comme je ne sais rien faire, l'apprentissage de ces travaux me paraît pénible et fastidieux. J'imagine dans ma naïveté que tout se fait par l'opération du Saint-Esprit, mais le Saint-Esprit, en l'occurrence, c'est ma mère. Elle m'a appris beaucoup de choses, mais elle a omis l'ordre. Elle ramasse tout et range tout derrière moi. Je suis une enfant gâtée. J'en paye le prix maintenant. De grâce, «parents efficaces», apprenez l'ordre à vos enfants, avant l'âge de 26 ans...

Les jours succèdent aux jours et voilà qu'imperceptiblement, je change de taille. De mince que j'étais, je deviens... rondelette. Le petit Larousse décrit d'une façon fort gentille le mot rondelette : «qui présente un certain embonpoint, des rondeurs agréables.» Je trouve que cette définition est pleine de charme et très valorisante pour une jeune mariée enceinte.

Après quatre mois de mariage à peine, je dois mettre au rancart tout mon beau trousseau – robes, blouses, costumes, jupes – et adopter la robe de maternité. En ce temps-là, les boutiques spécialisées n'existaient pas. C'était pourtant le temps des familles nombreuses. Je me souviens de ma première robe de maternité : elle ne me donne pas un air très *glamourous* mais heureusement, le bonheur d'être mère est tellement grand que j'en oublie tous les inconvénients. L'instinct maternel, qui somnole au fond de moi, se réveille petit à petit au rythme de ma grossesse. J'aime l'enfant que je porte et mon mari est aussi heureux que moi. Il est fier de sa paternité.

Le 6 mars 1943, Bébé est né
- Vive le Bébé ! -

Notre bébé est une pure merveille ! Le plus beau du monde, évidemment. C'est une petite fille adorable qui pèse huit livres. Elle a le type breton, comme son père. Je suis à l'hôpital et très bien traitée. Les méthodes d'alors sont bien différentes de celles qu'on emploie aujourd'hui, après l'accouchement. La consigne est sévère. L'accouchée doit rester au lit sans se lever, presque sans bouger, pour au moins 12 jours. Il ne faut surtout pas se mettre les jambes pendantes, hors du lit, sinon gare aux phlébites, aux descentes de matrice, de vessie, d'utérus et de toutes sortes... Qui oserait désobéir après ces terribles avertissements?

L'allaitement maternel n'était pas très à la mode, seulement dans les cas d'urgence. On prétendait le lait *Carnation* supérieur au lait maternel. On donnait des pilules pour enrayer la montée du lait. C'est alors que le livre du Docteur Spock devint la nouvelle bible des jeunes mères. Surtout, ne prendre aucune initiative avant de l'avoir consulté, sinon malheur à vous !

J'ai beaucoup de difficultés à me soumettre à toutes ces ordonnances, mais pour le bien du bébé, malgré quelques petits écarts, j'obéis. Je mets mon tempérament «rebelle» à dure épreuve !

Selon la coutume, bébé est baptisé à l'hôpital, dans les quelques jours qui suivent. J'anticipe avec bonheur ce jour où je présenterai «officiellement» ma petite fille au Bon Dieu. On lui donne le prénom de son père : Renée.

Après les 12 jours passés au lit, je me lève pour la première fois, chambranlante, étourdie, prête à m'évanouir. Mais je dois partir pour la grande aventure, «le retour à la maison». On me donne bien quelques conseils pratiques, par exemple, comment changer les couches, faire passer les rots, donner le biberon, coucher le bébé sur le dos, le côté, etc. Surtout, on me rassure en me disant que j'ai le meilleur bébé au monde, le plus sage de la pouponnière; il ne pleure jamais, ne vomit pas, fait ses nuits, on ne l'entend pas – et moi, j'ai la naïveté de croire tout cela ! Mon mari, qui est venu chercher ses deux trésors, «sa femme et sa fille», se sent lui aussi très rassuré. Nous sommes fin prêts à affronter l'avenir. Mais avant cela, il faut d'abord passer la première nuit...

Une nuit d'enfer
MARS 1943

Où sont ces nuits paisibles passées à l'hôpital dans le calme et la sérénité ? Comme je les regrette ! Je ne les ai pas appréciées à leur juste valeur ! Assez de jérémiades, il faut maintenant affronter la triste réalité de la première nuit de bébé.

Dans la maison, c'est le branle-bas général. On dirait qu'un tremblement de terre a secoué notre maison. Tout le monde est affolé, papa, maman, grand-maman. On ne sait plus quoi faire. On nous a pourtant dit à l'hôpital : «Votre bébé ne pleure pas.» C'est vrai qu'il ne pleure pas, il hurle. Quoi faire pour le calmer ? On le prend, on le couche, on le berce, rien n'y fait. On recommence, on le reprend, on le re-couche, on le reberce. Encore rien. Bébé a peut-être faim ? Pourtant d'après le Docteur Spock, il faut lui donner à boire toutes les quatre heures, surtout pas une minute de plus, pas une minute de moins. La montre devient un instrument indispensable.

Les couches *Curity* jonchent le sol. La cuisine est remplie de biberons à moitié vides, à moitié pleins. Le bébé pleure toujours. Le lait est trop chaud, on lui a peut-être brûlé la langue ? Ou trop froid, ce n'est pas bon pour sa digestion ? On vérifie. La tétine ne coule pas, on la perce avec une aiguille chauffée à blanc. Maintenant, la tétine coule trop; les trous sont trop grands. Bébé a englouti son lait en quelques secondes. On se réjouit, mais aussi vite, d'un seul trait, il le régurgite. Bébé a tout souillé, son pyjama, ses draps et son piqué. Il faut le changer des pieds à la tête.

Papa, maman, grand-maman sont tous trois en action. Ils vont, viennent, se croisent, s'entrecroisent. On dirait des danseurs, exécutant *La danse macabre*. Il ne manque que la musique, mais les pleurs du bébé y suppléent.

Bébé se calme pour quelques instants... On est de nouveau inquiet. Peut-être est-il mort ? Ah non ! Dieu merci, on l'entend, il a le hoquet. Vite, faisons lui passer «son rot». Rien ne vient. Après une heure de tapotement, on démissionne. On ne doit pas «taper» au bon endroit dans le dos. Le temps passe, l'aube apparaît, bébé pleure toujours. On s'affole, on pleure, on désespère, on s'accuse mutuellement : «Tu as dû le piquer en lui mettant sa couche.» On vérifie. On s'interroge : pourquoi ne dort-il pas? Pourquoi pleure-t-il autant ? Qu'est-ce qu'on a bien pu lui faire ? On ne sait plus à quel saint se vouer. Peut-être, ne nous aime-t-il pas ? La culpabilité est sur le point de nous étouffer. Nous sommes de mauvais parents. Lorsqu'au petit matin, Bébé décide de s'endormir, sans scrupules, ses pauvres parents sont dans un état lamentable ! Ah ! Quelle nuit !

Renée
1943 - 1944

Les parents inexpérimentés que nous sommes reprennent peu à peu confiance en eux. Les difficultés inhérentes à leur nouvelle vocation apparaissent maintenant plus supportables.

Bébé Renée semble apprécier ses parents. Elle se développe normalement sur tous les plans, physique, intellectuel. Elle est même en avance sur les énoncés du célèbre Docteur Spock. Elle va jusqu'à oser défier cet oracle incontesté de la pédiatrie. Son premier sourire, elle le fait à trois semaines, au lieu de quatre.

Malheureusement, la première dent n'apparaît pas dans le temps réglementaire. C'est la course contre la montre. On frotte vigoureusement les gencives pour en faire sortir au moins la pointe. Il ne faut pas qu'elle abaisse sa moyenne pour une simple dent.

Elle marche à 9 mois, elle parle à 2 ans, elle connaît tous les animaux de son album à 3 ans, elle lit la Comtesse de Ségur à 5 ans et j'en oublie.

Bref ! On ne peut désirer mieux. Notre première fille est un phénomène !

Annik
PRINTEMPS 1944

Pendant que l'on s'extasie sur la merveille qu'on a mise au monde, un deuxième bébé est déjà en préparation. On est tout surpris, mais très heureux de l'annonce de cette deuxième naissance.

La maternité se révèle pour moi la plus belle des vocations, remplie de joies et de satisfactions. Mon mari est heureux aussi, lui qui n'a pas connu la vie de famille, il se sent comblé. Il n'en revient pas lui-même de faire de si beaux enfants, en si peu de temps et ce n'est pas fini…

Je remets ma robe de maternité et la nature, sans rien me demander, recommence son processus de création. Les neuf mois écoulés, c'est le temps de repartir pour l'hôpital. Tout se passe relativement vite et bien. Je n'oserais pas dire «comme une lettre à la poste» car ce serait masquer la vérité. Mais quand on me met le bébé dans les bras, toutes les souffrances sont oubliées. C'est une belle petite fille au teint clair, bien en chair et en os, que je me hâte de faire baptiser. On lui donne le joli prénom d'Annik, Anne en breton. Son nom est probablement à l'origine de toutes les «Annik» nées dans la vallée de la Matapédia, au Québec. Sa première nuit se passe sans incident. Les parents ont acquis de l'expérience après la «nuit infernale» de sa sœur aînée.

Annik se développe au rythme de tous les bébés. Mais malheureusement, je n'ai pas eu le temps de consigner ses «finesses» dans le livre *Souvenirs de ma naissance*. Hélas ! c'est le sort réservé au deuxième enfant. Qu'on me le pardonne ! Pour plus de détails, voir «1943 : Renée». C'est le même scénario ! Notre seconde fille est aussi un phénomène !

Ma première déception
Coteau Landing - Saint-Zotique
ÉTÉ 1944

J'ai beau choisir de beaux endroits à la campagne, pour passer nos étés, malgré tous mes efforts, il y a toujours quelque chose qui cloche.

1942. Vous vous souvenez du voyage de noces à Saint-Faustin dans les Laurentides ? Nous sommes deux, l'endroit est beau, pourtant que de surprises plus ou moins agréables !

En 1943, à Coteau Landing, sur le lac Saint-François, nous sommes trois. Peu de confort, c'est un peu la misère, c'est encore la déception !

1944. Nous transportons nos pénates quelques milles plus loin, à Saint-Zotique. Nous sommes maintenant quatre. C'est beau, tout va bien ! J'y amène ma bicyclette, cette bonne vieille CCM toujours en service, et me promène avec ma petite fille de 15 mois. Je l'installe dans un siège que j'ai fabriqué moi-même. C'est assez artisanal comme confection, mais c'est fonctionnel et, je l'espère, sécuritaire. J'ai pris un panier à provisions, je l'ai attaché solidement au guidon avec du fil de fer. Et hop ! On est parti ! La petite est très heureuse, elle trône comme une reine !

Quant à Annik, 2 mois, elle dort paisiblement au soleil, sous l'œil protecteur de son père qui fume son cigare en lisant un livre. Quel beau tableau je fais de la situation ! Mais la réalité est-elle aussi belle ?

Voilà que mon mari commence à tousser, à moucher, à éternuer. Sans doute a-t-il attrapé un rhume, une grippe, du froid ? Cela va passer. Mais justement cela ne passe pas. Les jours s'écoulent et son état s'aggrave. Il a peine à respirer. Que faire ? Nous avons fait la connaissance d'une comédienne, feu Madame Jeanne Maubourg, qui est en vacances à Saint-Zotique. Elle nous trouve probablement sympathiques et nous prodigue des attentions toutes maternelles.

Elle conseille à René de partir respirer un air très pur, celui du lac Supérieur dans le nord des Laurentides. Devrais-je le retenir ? Non, car je ne serais qu'une égoïste. Devrais-je l'accompagner ? C'est impensable, avec les deux bébés. Mon mari part donc *illico* pour ce paradis de rêves et me laisse seule et désemparée avec les enfants.

C'est là que commence pour moi l'apprentissage de l'autonomie. J'avoue que ce n'est pas facile, mais à la longue, cela a ses bons côtés. L'avenir le dira... Et «le bonheur parfait n'est pas de ce monde», disait ma mère avec raison.

Après quelques semaines de séparation, nous nous retrouvons de nouveau sur le boulevard Saint-Joseph. Malheureusement, ni l'air pur, ni la séparation n'ont guéri René. Après consultation auprès du médecin, le diagnostic est posé: il souffre d'allergies et en souffrira le reste de sa vie.

Pour lui, les étés à la campagne, c'est bien fini. Peut-être les voyages seraient-ils un remède plus efficace ? Il n'y a rien comme essayer! Essayons !

Québec - Mont Orford
ÉTÉ 1945

Oui ! Je l'ai dit, c'est bien fini ! Les vacances à la campagne, en famille : papa, maman, bébé, enfants. On n'y pense plus. Ne revenons pas sur le passé. Mais voilà qu'une année scolaire est encore écoulée. C'est déjà l'été, il faut penser aux vacances. Hélas ! Avec le beau temps apparaissent les allergies de René et son goût de partir vers des pays nouveaux. Il n'aime pas rester stationnaire, que voulez-vous ? Il aime le voyage, il a cela dans le sang. Je n'accepte pas toujours ces déplacements de bon cœur, je rouspète souvent et je rue parfois dans les brancards.

Je ne voudrais pas vous donner l'impression d'une épouse «douce et humble de cœur», toujours soumise aux volontés de son «maître et seigneur». J'avoue que je ne suis pas tout à fait ce genre-là. J'ai plutôt ce qu'on appelle du caractère mais, malgré tout, j'essaie de comprendre le point de vue de l'autre. Quand un jour, je lui fais le reproche de vouloir toujours partir, il me répond : «Si je n'avais pas aimé le voyage, je ne serais pas venu au Canada et tu ne m'aurais pas connu.» Traduction tentante : «Si j'aurais pas aimé le voyage, j'aurais pas venu au Canada...»

Comme il a raison sur ce point. Cet argument suffit à me convaincre. Cependant, nous ne sommes pas très riches et au rythme où se développe la famille, cela prend beaucoup d'argent. Qu'à cela ne tienne, René donnera des cours privés et moi, je mettrai à profit le sens de l'économie que ma mère m'a inculqué. Et tout ira bien, et tout va plus ou moins bien !

JUIN 1945

C'est le temps des vacances. Pour ne pas trop m'effrayer ou pour m'amadouer, René propose d'aller à Québec, donner des cours à l'université Laval. Il fait les démarches nécessaires et il est accepté comme professeur de littérature. Pour un premier départ, je suis d'accord. Québec n'est pas trop loin. S'il survient quelque imprévu, il sera facile de se rejoindre. J'ai l'esprit tranquille et René la conscience en paix !

Et mes vacances à moi ? Je ne suis pas Pénélope, prête à tisser, pendant 20 ans, en attendant le retour de «mon Ulysse». Je dois apprendre à me débrouiller toute seule, seule avec les enfants durant la période des vacances, et trouver la vie belle ! Mettons-nous à la tâche. Assez de jérémiades. Il n'y a pas de quoi pleurer toute une vie. Il y a pire. Convenons-en !

Mont Orford
1945

Une occasion merveilleuse s'offre à moi. Une de mes grandes amies (l'amitié date du couvent de Villa Maria, 1927) a loué pour l'été une immense maison, au pied du Mont Orford, dans les Cantons de l'Est. Jeanne Rhéaume, autrefois Marie-Jeanne Leblanc, est peintre et plusieurs de ses amis artistes vont aussi partager la maison avec elle. Détail important, cependant, ils n'ont pas d'enfants. Il y a encore des chambres libres dans le chalet. Comme elle m'aime bien, elle pense à moi. «Pourquoi ne viendrais-tu pas passer l'été avec nous, ce serait tellement agréable de t'avoir ? Tu aurais tes appartements en bas, tu serais libre de faire ce que tu veux. Tes enfants profiteraient d'un été merveilleux à la campagne.»

Tous ces propos me paraissent fort convaincants. Ils miroitent dans mon imagination comme des diamants au soleil. Ma décision est prise, j'accepte avec joie ! Je commence à préparer mes bagages pour le bel été que j'entrevois passer en excellente compagnie.

Il faut apporter deux lits de bébé, deux chaises hautes, un carrosse, une poussette, les jouets, les hochets, le linge pour les temps chauds, pour les temps froids, les bottes, les imperméables (il pleuvra peut-être), les biberons, les tétines, les suces, les «petits pots», les seaux à laver, les couches, les piqués, les couvertures et j'en oublie.

Je loue un camion parce que tout n'entre pas dans la voiture (au fait, je n'en ai pas encore, j'oubliais). Je dois prendre le train. J'arrive enfin à destination avec tout mon bagage et ma *smala*. Je suis accueillie chaleureusement par Jeanne et ses amis. Je suis très flattée d'être au milieu de tous ces peintres célèbres. Imaginez, passer l'été avec Jeanne Rhéaume, Goodridge Roberts, Philip Surrey. Je devrais être au comble du bonheur...

Pourtant, ma première impression en est une de tristesse. Il pleut dehors. Le mont Orford m'apparaît sombre, énorme, menaçant, prêt à m'écraser avec mes deux petites. On m'indique mes appartements. Hélas ! Il pleut aussi dans ma chambre. On y installe un seau. J'entends alors le «clouk, clouk, clouk» qui mine un peu plus ma résistance nerveuse. Les petites sont fatiguées, elles pleurent et je pleure avec elles. C'est le second trio lyrique québécois. Enfin, il faut se ressaisir. Demain sera meilleur. Il fera soleil et tout ira bien !

Le lendemain, le thermomètre est monté de quelques degrés, mais il n'est pas au beau fixe. Le mien non plus. Les enfants jouent au milieu de la pièce où sont installés les chevalets des peintres. Elles sont encore bien jeunes, deux ans et demi et quatorze mois, pour comprendre qu'il ne faut pas toucher aux «beaux dessins des messieurs». Elles sont attirées par les tubes de couleurs. La tentation est trop forte, elles trempent leurs jolies menottes dans la peinture et agrémentent ou barbouillent les tableaux des maîtres installés sur les chevalets. J'avoue que ce n'est pas très apprécié.

Je me sens de plus en plus mal à l'aise dans ce milieu. Ce n'est vraiment pas la place d'une mère de famille parmi ces artistes qui se montrent pourtant très gentils. Ma décision est prise. Je repars armes, bagages et enfants pour Montréal. Mes vacances à la campagne n'auront duré que 40 heures !

Je finis l'été en beauté, me promenant sur l'avenue Laurier, tout en me découvrant une âme de citadine. J'attends patiemment, avec l'arrivée du mois de septembre, le retour de mon mari et la naissance d'un troisième enfant. Car j'ai oublié de vous dire que je suis grosse à pleine ceinture, je vais accoucher le 8 septembre 1945. Vive la ville ! Vive la famille ! Vive les vacances !

Joëlle
SEPTEMBRE 1945

À force de tourner les pages de mes années et de mes étés, ma vie peut paraître fastidieuse. Toujours la même chose. Une naissance n'attend pas l'autre, année après année. Renée en 1943, Annik en 1944, et voilà qu'en 1945, un troisième enfant vient prendre sa place dans la famille. Je suis toute fière de répandre la bonne nouvelle autour de moi. Ce qui m'étonne, c'est que tout le monde semble découragé, sauf moi. Mais pourquoi? Je me le demande bien. Un enfant, c'est une richesse, et qui, dites-moi, refuse la richesse ? Nous sommes des parents comblés et même «surcomblés».

En septembre 1945, la famille s'enrichit d'une troisième petite fille. Joëlle est une petite brunette, toute menue, sage comme une image; on ne l'entend pas. Mais l'image ne tardera pas à s'animer... Elle garde en réserve ses énergies pour plus tard.

Il est peut-être temps de s'arrêter et de reprendre notre souffle ! Nous ne sommes pas syndiqués, mais c'est l'heure du *break* pour nous aussi ! Toutes ces années passées sont parmi les plus belles et les plus fructueuses de ma vie. Heureusement, il y en a encore plusieurs en réserve pour moi.

Le voyage de René
Les vacances de Marguerite à Saint-Placide
1946

Encore une année scolaire d'écoulée! On est déjà rendu à la mi-juin. Pour les enfants et moi-même, il n'y a pas d'autre choix : c'est la campagne. Nous avons besoin, pour notre santé physique et mentale, de respirer l'air pur de la campagne. Pour René, qui enseigne à 30 adolescents et qui a toujours la fièvre des foins malgré tous les traitements, un petit voyage est tout indiqué. Tout le monde comprend que l'enseignement, cela use les nerfs !

Mais comment faire pour ne pas grever le budget familial ? Où prendre l'argent ? J'ai beau être économe, vendre de l'huile à chauffage par téléphone, administrer le salaire de René le plus parcimonieusement possible, l'argent ne coule pas à flots. Pas d'inondation prévue.

Mais la Providence veille sur nous. Nous sommes invités à une réception de mariage et placés à la même table que monsieur et madame Hone. Monsieur Hone est fondateur-directeur de l'agence de voyages bien connue, *Les Voyages Hone*. Après quelques verres de champagne, la conversation devient très animée et s'engage naturellement sur les voyages.

Monsieur Hone est à la recherche d'un guide pour diriger un voyage culturel en Europe, durant les vacances d'été. Les voyageurs sont des jeunes gens de familles aisées dont l'âge varie entre 16 et 25 ans, et qui veulent parfaire leur culture.

René est le candidat rêvé. Il remplit à merveille toutes les conditions. Il est cultivé, féru d'histoire, de géographie, d'arts. Il est polyglotte, parle l'italien, l'espagnol, l'anglais, un peu d'allemand. En plus d'être professeur, il est un père de famille plutôt sévère. Il a l'œil à la surveillance. Les parents peuvent être rassurés et dormir tranquilles, René va y voir.

En peu de temps, l'affaire est conclue. À la pensée de partir, René jubile; je le sens redevenir célibataire. La fièvre des foins est finie pour l'été – elle prend des vacances. J'accepte, avec un peu de réticence, de le voir partir tous les étés et de rester seule, mais tout compte fait, j'aime mieux le voir heureux que grincheux. Bye, bye ! Adios! Ciao ! Au revoir !

Comment puis-je dire que je suis seule avec les enfants ? Je ne suis pas pour rester plantée à attendre. Je cherche le bon côté de la situation. «Count your blessings», dit un sage, probablement un Anglais. Je suis jeune, j'ai la santé, j'ai des enfants et j'ai la liberté. Qui dit mieux ? Je vais profiter de tout.

Je loue un petit chalet à Saint-Placide où je passe deux ou trois étés avec trois ou quatre enfants. J'ai une vue (un peu cachée) sur le lac des Deux-Montagnes. Je trouve mon chalet très beau: je le baptise «Le chalet de rêve». Il n'a pourtant rien de bien extraordinaire avec ses «bécosses» à l'extérieur, son poêle à bois qui chauffe mal et ses chauves-souris qui entrent par la cheminée. J'ai sûrement la grâce d'état !

Mais qu'est-ce qui me fait tant aimer Saint-Placide? Ce sont les amis qui m'entourent. Jamais je n'ai trouvé autant de chaleur humaine. Après près de 50 ans, mon cœur se rappelle plus que ma mémoire de leur affection et je dis merci aux Girard, Labbé, etc.

Quatrième enfant
- Jean-Yves -
1947

Mon Dieu ! Je suis presque gênée de vous annoncer une quatrième naissance, pour le mois de mai 1947. Pourtant, nous en sommes très fiers, mais l'entourage réagit moins bien. Les commentaires vont bon train ! Nous ne voulons pas vous donner l'impression que nous ne pensons qu'à faire des enfants, mais que voulez-vous, je suis féconde et j'ai la conscience délicate.

Après trois petites filles, la surprise est grande, c'est un garçon! Tout le monde est heureux et se réjouit avec nous. Moi, la mère, je le trouve bien beau, «le plus beau des enfants des hommes». Quand je me penche sur son berceau pour l'admirer, je ne sens pas le même enthousiasme chez les gens qui le regardent. On me fait remarquer qu'il a de grandes oreilles. Je dis : «Tant mieux, il paraît que c'est un signe de richesse!» Espérons toujours; ce qui compte, c'est ce qu'il a entre les deux oreilles.

Quand le jour du baptême arrive, mon mari et moi ne sommes toujours pas d'accord sur le prénom à lui donner. Je veux l'appeler Jean tandis que René préfère le prénom de son frère défunt, Yves. Comme nous sommes incapables de nous décider, tel Salomon sur son trône, le curé tranche: «Donnez-lui les deux prénoms, vous choisirez plus tard.» Le petit bonhomme d'alors a maintenant 48 ans et s'appelle toujours Jean-Yves...

L'amour maternel
- Mes quatre -

Avec mes trois petites filles et mon petit garçon, je me sens comme la mère poule qui réchauffe ses poussins sous ses ailes. Je travaille beaucoup mais au milieu de ce brouhaha, l'amour prend une place prédominante. Les sourires, les gazouillis, les baisers, les caresses de mes enfants sont ma récompense. Je prends plaisir à tout ce que je fais : ménage, lavage, repassage, raccommodage (j'aime moins la cuisine, mais maman est là). J'excelle dans les grands ménages et ne crains ni les murs à laver ni à peinturer; je fais de l'électricité, répare le grille-pain, fais de la menuiserie (il faut que mes cours d'ébénisterie servent à quelque chose) et le plâtre. Je suis l'«homme à tout faire» de la maison. Mon mari reste impuissant devant tout ce remue-ménage. Je ne me souviens pas qu'il ait jamais planté un clou de sa vie. De toute évidence, ce n'est pas un manuel. Je m'en accommode assez bien pourvu qu'il accepte toutes mes fantaisies. Ce qui le désespère, quand il me voit entreprendre de gros travaux, c'est que je mets la maison sens dessus dessous. On dirait un vrai chantier. J'en conviens, je manque d'ordre et de méthode, mais que voulez-vous, une personne ne peut posséder toutes les qualités !...

Grimpée sur l'escabeau, pinceau d'une main, peinture de l'autre, au milieu de ce «beau barda», je n'oublie pas mes enfants. Je les surveille de haut. Je leur souris, je leur parle, je leur dis que maman est là, qu'elle les aime. Quand tout à coup, j'entends des «Maman, j'ai faim!», je laisse tout en plan et redescends de mes hauteurs. Ah oui! C'était de bien belles années; qu'il m'en souvienne!

Une maison bien remplie

Nous habitons toujours cette maison du boulevard Saint-Joseph. Nous la trouvions alors grande et spacieuse, et voilà que cinq ans plus tard, elle est devenue toute petite. Aurait-elle refoulé par hasard?

Nous sommes locataires et la propriétaire ne nous a pas en odeur de sainteté. Elle trouve que nous avons trop d'enfants. Quand elle vient chercher le loyer, et que je suis encore enceinte, le ventre trop apparent, je me couche dans mon lit pour me cacher, même le jour; je prétexte une grippe. Elle trouve qu'un enfant, ça va; deux, passe encore; mais trois ou quatre, c'est trop.

Un jour, je l'entends crier du trottoir: «S'ils peuvent déménager, je serai bien contente. Ils iront les faire ailleurs leurs "Bretons"». Avouez que ce n'est pas gentil du tout! Quelques mois plus tard, ces vociférations s'avéreront prophéties. Je lui donne raison sur un point : la maison est devenue trop petite pour sept personnes, car nous sommes maintenant sept. Nous commençons à nous piler sur les pieds, mais heureusement, le bébé ne marche pas encore!

La Providence veille sur nous
1948

Il y a des jours où rien ne fonctionne; ce matin par exemple en est un. Pourtant, je me suis levée pleine d'entrain, prête à attaquer toutes les tâches à la fois, comme d'habitude. Commençons par le ménage, les pièces en ont grandement besoin. Je prends l'aspirateur, tout marche et voilà qu'au beau milieu du tapis, il décide de s'arrêter.

J'essaie de mettre à profit mes connaissances techniques; tourne à l'endroit, tourne à l'envers, visse, dévisse, revisse, rien n'y fait; l'aspirateur reste impassible et muet devant mes «aspirations» de propreté. Je prends le téléphone pour appeler le réparateur; la ligne est morte. Il faut faire quelque chose.

Je cours chez la voisine, Mme Royer, chez qui j'arrive tout essoufflée et très énervée. En me voyant dans un tel état, elle suppose qu'un grave accident est survenu à l'un de mes enfants. Mais non, je la rassure, ce n'est que la «Hoover». Le vendeur m'avait pourtant dit qu'elle ne faisait jamais défaut. Ah ! Ces vendeurs ! Mais cela est une autre affaire. Je raconte mes déboires à ma voisine compatissante. Je lui dis que j'aimerais beaucoup m'acheter une maison plus grande, mais les maisons d'Outremont sont beaucoup trop chères pour nos faibles moyens.

Elle m'écoute avec sympathie et me parle d'une annonce qui a paru dans un journal la semaine dernière. En vain, elle cherche le journal, évidemment il est à la poubelle. Malheur de malheur ! Je n'ai vraiment pas de chance ! Voyant mon désarroi, elle se met à fouiller dans la poubelle. Oh ! miracle ! elle retrouve l'annonce en question, qui se lit comme suit:

Cottage dans Outremont; 8 pièces - grand jardin;
Prix $ 10,000. S'adresser à 780, rue Rockland.

Au diable l'aspirateur! Toute joyeuse, je quitte ma «chère» voisine et cours vite annoncer la bonne nouvelle à mon mari. Je tiens dans ma main le vieux journal déchiré, que je brandis déjà comme le drapeau de la victoire !

Sans penser à rien, nous partons comme des fous, voir la maison annoncée. Arrivés devant le 780, Rockland, nous demeurons perplexes. Ça ne se peut pas que ce soit cette maison-là, elle est trop belle. Nous nous sommes trompés. Ce doit être la mauvaise adresse.

Mais non, c'est la bonne adresse ! Sans perdre un seul instant, nous prenons rendez-vous avec l'agent immobilier. Le lendemain, c'est la visite. Nous ne sommes pas seuls; il y a beaucoup de personnes qui la visitent en même temps que nous.

Je dis à René qu'il ne faut pas que cette maison nous échappe. C'est une aubaine! Pourquoi réfléchir plus longtemps, elle nous plaît; faisons une offre sur le champ. Après tout, nous nous sommes bien mariés de cette façon, sans réfléchir, et ça ne va pas si mal ! Il faut savoir se fier à son intuition.

Sans plus de raisonnement et d'inspection, nous devenons les «riches» propriétaires du 780, rue Rockland, Outremont. C'était le 1er mai en l'an de grâce 1949. Nous y sommes demeurés 30 ans.

5

Maison pleine

Le 780, Rockland
- Tout va bien Madame la Marquise -
MAI 1949

Premier mai 1949. Le jour du déménagement est arrivé. Le rêve fait place à la réalité. Tout le monde est en action, du plus petit au plus grand. Chacun veut y apporter sa contribution. Les déménageurs sont là, ils déposent meubles, caisses, menus articles sur le trottoir avant de les placer dans le camion. On dirait une vente de garage ou une boutique de meubles d'enfants en faillite.

Je précède le camion qui se met en marche. En ouvrant la porte du 780, Rockland, il me semble ouvrir la porte du ciel. Les enfants jubilent ! Ils pourront désormais marcher, sauter, crier, pleurer sans se préoccuper des voisins et de la propriétaire. Cependant, l'important pour le moment, c'est d'installer les lits dans les chambres pour coucher les enfants qui sont fatigués.

Le père et la mère prennent la chambre des maîtres. Les deux aînées sont ensemble. La troisième partage la chambre de sa grand-mère et Jean-Yves, le garçon, est seul pour le moment... C'est parfait, tout le monde est casé. On se souhaite bonne nuit, on s'embrasse, on donne son petit cœur au bon Dieu, puis on s'endort paisiblement en souriant aux anges !

Nous nageons dans le bonheur ! Nous aimons notre nouvelle maison. De défauts, elle n'en a pas. Si oui, ils sont bien camouflés.

Après quelques jours d'occupation, on s'aperçoit que la fenêtre de la chambre des aînées ne ferme pas complètement. Surtout, ne nous affolons pas, Monsieur Letourneau est là. L'homme qui sait tout faire, l'homme miracle qui a les solutions à tous les problèmes domestiques. Il prend une place de plus en plus importante dans ma vie. Monsieur Letourneau par-ci, M. Letourneau par-là. Mon mari, qui ne sait rien faire de ses dix doigts, ne semble pas en prendre ombrage. Heureusement, car je ne puis plus m'en passer...

Après un examen minutieux de la fenêtre, il déclare d'un ton calme, sans doute pour ménager mes émotions : «Le mur de briques est en train de s'effondrer, il faut le démolir complètement.» Protestation de ma part : «M. Létourneau, dites-moi que ce n'est pas nécessaire, un petit replâtrage temporaire ne suffirait-il pas?» «Non, ma petite dame, il faut agir vite, avant que cela ne devienne dangereux et tourne à la catastrophe!»

Devant l'inévitable, je n'ai qu'à me soumettre et M. Létourneau se met à l'œuvre. En un jour, le mur est à terre. Les enfants couchent à la belle étoile. Pour eux, c'est la fête! On installe une grande toile pour remplacer temporairement le mur manquant.

Mon beau-frère Claude Choquette qui est à la fois généreux et anxieux s'inquiète de nous, il veut absolument que nous allions habiter chez lui durant les travaux : papa, maman, Renée, Annik, Joëlle, Jean-Yves et grand-mère. Cela fait beaucoup de monde. Claude craint que toute la maison ne s'écroule et que nous soyons engloutis sous les décombres. Pour refuser cette offre magnanime, rien de mieux que d'emprunter les mots célèbres du maréchal Ney, ou était-ce Cambronne? «La garde meurt, mais ne se rend pas.»

En peu de temps, le mur de briques a repris sa place, laissant un vide de quelque 1000 $ dans notre budget. L'expérience m'apprend qu'il n'y a rien d'irréparable dans la vie, sauf la mort, et nous sommes bien vivants.

Les enfants profitent du jardin et de la galerie quelque peu chambranlante. Ils ont de belles couleurs aux joues. Mais voilà que sous la peau apparaissent de petits boutons roses. Il faut faire appel au médecin, car ils sont très fiévreux, 105 degrés. «Ce n'est pas grave, c'est la rubéole», déclare le médecin. Je n'avais pourtant pas besoin de cela!

Et pour finir le plat, j'ai les mains couvertes d'eczéma; j'ai perdu le contrôle de la situation ! Je me console en disant que c'est peut-être cela qu'on appelle le bonheur ! «Tout va très bien, Madame la Marquise !»

Les profs de Stan au boulot
JUIN 1949

Mon mari et mes enfants occupent toute la place dans mes pensées, mes actions, mes affections. Comment peut-il en rester pour les autres, pour les amis, par exemple. C'est sans doute ce qu'on appelle le miracle de l'amour : plus on en donne, plus il en reste.

J'aime le monde. Je suis du genre sociable. Mon mari l'est un peu moins, mais il se laisse facilement convaincre. Avant d'inviter des amis dans notre nouveau *home* de la rue Rockland, il faut d'abord lui faire une toilette nouvelle. Il a grandement besoin d'être rafraîchi. La prudence nous conseille cependant d'y aller *mollo* dans les dépenses. Nous n'avons plus d'argent. Toutes nos économies ont passé dans l'achat de la maison. Il ne faut pas pleurer sur notre sort. Nous ne sommes pas particulièrement riches, mais nous sommes loin d'être pauvres. Nous ne manquons de rien, grâce à Dieu !

Pourquoi ne pas faire appel aux amis du Collège pour nous aider à faire le ménage? L'invitation est lancée pour la grande corvée au 780, Rockland. La réponse ne se fait pas attendre. Elle est unanime, ils viendront. Le corps professoral arrive en bande, tout joyeux, prêt à relever les manches et à se salir les mains. Je me nomme «contre-maîtresse». Sans distinction de statut et de compétence, je distribue au hasard les outils nécessaires à la rénovation : pinceaux, peinture, décapant, seaux, vadrouilles, escabeau, grattoirs, marteaux, clous, plâtre. Chacun se met à la tâche. C'est au milieu des rires et des chansons que se fait le travail, sans trop de dégâts. Il y a même un «monseigneur» (Mgr Fernique) parmi les ouvriers. Il ne fait pas que distribuer des bénédictions, il travaille. Jamais je n'ai vu dans ma courte carrière de contremaîtresse des ouvriers non spécialisés travailler avec autant de zèle et d'efficacité. Minuit a sonné. Il faut les arrêter dans leur élan, parce que l'heure de la récompense est arrivée : «la petite bière» ou «le petit rouge» !

Et par la suite, ces professeurs sont devenus des habitués de la maison. Qui travaille au jardin potager, qui baptise les enfants. La première récolte potagère a donné trois radis aux formes oblongues. Ce n'est pas un grand succès. Les baptêmes ont beaucoup mieux réussi : quatre beaux enfants sont devenus officiellement «enfants de Dieu» !

Et que dire de la partie de belote du samedi soir avec l'abbé Millet et M. Boutaric. Belote et rebelote, deux mots qui résonnent encore à mes oreilles, tant je les ai entendus. Une partie qui ressemble étrangement à celle de César dans *Marius* : «Tu me fends le cœur.» On ne se gênait pas non plus pour tricher à «cœur ouvert» !

Chers professeurs de Stanislas, vivants et disparus, je garde le meilleur souvenir de vous et du temps où nous avions 30 ans. *Tempus fugit irreparabile.* Pour ceux qui ont perdu leur latin en cours de route, je traduis : «Le temps fuit inexorablement», et j'ajoute «Amen».

La danse en plus

Cette période de nos 30 ans en est une bien remplie, avec nos quatre enfants et les cours de danse qui viennent s'y ajouter. Nous avons fait la connaissance d'une charmante personne célibataire, généreuse et fortunée, mademoiselle Viau. Elle est plus âgée que nous. Pour tromper sa solitude, elle suit des cours de danse d'un jeune professeur argentin dont je la devine amoureuse. Rien de mal à cela.

«Le cœur a ses raisons que la raison ne connaît pas.» Elle nous propose des cours de danse. Je trouve l'idée très bonne. Mon mari qui ne sait pas danser apprendra et moi, je dépenserai mon surplus d'énergie. Avec une douzaine d'amis, nous apprenons la rumba, la samba, le cha-cha-cha, le fox-trot, le tango. Il faut nous voir glisser comme des patineurs dans l'immense salon de mademoiselle Viau au son d'une musique enlevante. Gagnés par le plaisir, nous en oublions souvent l'heure. Nous entrons quelquefois au petit matin, bras dessus, bras dessous, espérant que maman toujours au poste s'occupera des enfants qui vont bientôt se réveiller. «Il faut que jeunesse se passe.» Elle est bien passée ! En écrivant ces souvenirs qui datent d'environ 50 ans, j'ai le goût de chanter avec Édith Piaf : «Non, rien de rien, je ne regrette rien...» C'était la belle époque!

La sœur de Charité manquée

Mes parents m'ont appris très jeune la charité envers les pauvres. Ils sont généreux tous les deux à leur manière. Mon père n'aime pas donner de petits montants. Si, par exemple, vous lui demandez un timbre de 1 ou 2 cents, il grimace avant de vous le donner. On sent que cela lui fait mal. Si, par contre, vous avez besoin de 100 $ ou même de 1000 $, il vous le donne avec le sourire. J'ai appris de mon père que c'est avec des cents qu'on fait des dollars et cela marche. Essayez-le, vous verrez !

Ma mère, elle, ne sait pas calculer, ni refuser à qui lui demande. Elle accompagne ses gestes de charité par une de ses multiples citations évangéliques ou prosaïques : «Qui donne aux pauvres, prête à Dieu», ou «It's only money». Avec de tels parents, je suis à la bonne école.

Dans mes temps libres, je fais du travail bénévole auprès des familles ouvrières avec les Petites Sœurs de l'Assomption. Je visite alors une famille démunie. Mon mari m'accompagne en voiture. Il est parfaitement d'accord à ce que je donne de mon temps et des vêtements dont nous n'avons plus besoin, mais il me défend de donner de l'argent et de la nourriture. Il prétend que nous n'en avons pas les moyens. J'écoute tous ces propos d'une oreille attentive, comme une épouse soumise… non rebelle.

C'est l'hiver, le sol est glacé, j'ai des paquets pleins les bras. En descendant de la voiture, je glisse, m'étends de tout mon long sur le trottoir. Je virevolte en l'air avec tous mes paquets et malheureusement, la douzaine d'œufs que je tiens bien cachée sous le bras retombe en omelette sur la neige. Je suis prise en flagrant délit de désobéissance. Mon mari me dit alors d'un ton courroucé : «Ma femme, si tu voulais faire une sœur de la Charité, il ne fallait pas te marier et avoir autant d'enfants. Tu aurais dû y penser plus tôt, maintenant il est trop tard.»

C'est vrai que vivre trois vocations simultanément – épouse, mère et sœur de la Charité – c'est beaucoup !

Marc-Aurèle Fortin
1950

Marc-Aurèle Fortin, notre grand peintre canadien, est maintenant connu de tous. Vers 1950, à l'époque où il devient mon cousin germain, on n'en parle guère.

Gabrielle, ma cousine, habite un appartement sur Saint-Urbain. Elle est célibataire et demeure seule depuis la mort de sa mère, la dix-neuvième enfant du couple Michel et Léocadie Gaudet, ma mère étant la vingtième.

Marc-Aurèle habite Sainte-Rose. Il souhaite venir vivre à Montréal. Par l'entremise d'une amie commune, ils font connaissance. Marc-Aurèle devient le colocataire de Gabrielle.

Ce sont deux artistes au tempérament bohème. Ils se ressemblent dans leurs fantaisies. Ils possèdent une quinzaine de chats trouvés dans le voisinage. Gabrielle est musicienne. Elle joue du piano avec tant d'âme que les passants s'arrêtent pour l'écouter quand les fenêtres sont ouvertes.

Après quelques mois de cohabitation et de bonne entente, Gabrielle demande tout simplement à Marc-Aurèle : «Pourquoi ne pas nous marier ?» Marc-Aurèle trouve l'idée excellente et, comme dans les *Parapluies de Cherbourg,* un samedi pluvieux, ils se marient à l'église Saint-Enfant-Jésus du Mile End. Ils ont environ 60 et 50 ans. Tout va très bien. Marc-Aurèle peint sans relâche, sur n'importe quel papier, carton ou toile. Il est bon enfant, d'un caractère facile, même un peu mou.

Gabrielle se fait son agent. Elle vient à la maison et nous propose des peintures à 5 $, 10 $ et 25 $. À cette époque, nous n'avons pas beaucoup d'argent. Les «œuvres de chair» nous préoccupent beaucoup plus que les «œuvres d'art». Nous en achetons quand même quelques-unes «par pitié». Est-ce possible ? Ah ! Si jeunesse savait…

Tout semble bien aller dans le ménage. Malheureusement, un grain de sable se glisse dans l'engrenage et vient tout briser; on connaît la fin tragique de ce grand artiste de chez nous, Marc-Aurèle Fortin.

Pax II
VERS 1950

Ma vie est maintenant engagée sur le bon chemin. J'ai des enfants, un mari que j'aime. Ce n'est pas le bonheur parfait, mais pas loin. Dites-moi, se trouve-t-il sur la terre ?

Pax, de son côté, après l'enquête sur la moralité, craignant pour sa vie à cause de la pègre qui le persécute, se voit dans l'obligation de s'exiler. Il choisit un endroit retiré au Mexique.

Je l'ai presque oublié. Il est sorti de ma pensée et de mon cœur. Mais voilà qu'après sept ou huit ans de silence, le téléphone sonne et j'entends sa voix au bout du fil. Le temps de me demander si je rêve, il me dit: «J'aimerais beaucoup te revoir, cela serait-il possible ?» À cause de mon cœur qui se trouble, je n'accepte pas immédiatement. Je lui dis que je vais réfléchir et demander la permission à mon mari. Malgré toutes les apparences, je suis une femme soumise et prudente. Mon mari n'y voit évidemment aucune objection. Il semble ignorer tous les secrets et toutes les ramifications du cœur féminin. C'est un homme droit qui fait confiance à tout le monde. J'accepte donc de rencontrer Pax à une condition : que je sois accompagnée d'une grande amie, un chaperon quoi ! Je laisse la marmaille et pars avec Huguette Oligny, la comédienne bien connue, pour l'hôtel Champlain où nous devons nous rencontrer. Inutile de dire que je me suis mise sur «mon 36». Je me suis faite belle. J'ai tout fait pour réparer des ans l'irréparable outrage, bien que je sois encore jeune à cette époque. Je veux l'impressionner et peut-être assouvir une petite rancœur qui me reste, bien enfouie au fond du cœur.

En le revoyant, j'éprouve un certain émoi. Le passé surgit, mais j'ai mon amie qui me protège de moi-même. Nous échangeons des propos anodins, entre nous, jusqu'au moment où il m'invite à danser. Il me rappelle le passé, notre amour, il m'exprime les regrets qui le poursuivent sans cesse et me dit des mots tendres.

J'avoue que j'ai hâte de rentrer chez moi, de quitter le faste de l'hôtel Champlain, la piste de danse, les bras de mon danseur et de retrouver le brouhaha de ma maison. Cette parole de l'Évangile me revient : «Attention, l'esprit est prompt et la chair est faible.»

Après cette rencontre avec Pax, je rentre bien sagement à la maison. Je parle de tout à mon mari, sauf de ce petit remous qui m'agite intérieurement. Pax repart pour le Mexique et c'est très bien ainsi. La vie reprend son cours normal.

C'était la belle époque !
1951

Pourquoi parler au passé de la belle époque, puisque je m'apprête à en vivre une autre, encore plus belle. Après un court examen de conscience, je commence à me trouver un peu trop mondaine et frivole. J'ai peur de devenir volage. J'ai trop de temps libre pour l'énergie que j'ai en réserve. L'organisation de la maison marche, comme sur des roulettes bien huilées. L'éducation des enfants progresse lentement mais sûrement. Mon mari est de plus en plus convaincu que j'ai toujours raison.

Bref, je n'ai plus rien à désirer et quand le désir meurt, autant mourir avec lui. Je me trouve encore bien jeune pour accepter cette solution drastique. J'ai 36 ans, alors que faire ? Je me fais penser à un chef d'entreprise qui gère une affaire. Plus les affaires augmentent, plus il est satisfait ! Il veut que son entreprise progresse et c'est bien normal. Je suis, moi aussi, un chef d'entreprise ambitieux. Je veux que mon entreprise grossisse et mon entreprise à moi, c'est la famille ! Pour tout avouer, je vous dirai que je ne suis pas complètement en paix avec ma conscience au sujet de ce qu'on appelle communément l'empêchement de la famille. Que voulez-vous, je n'y peux rien, j'ai la conscience délicate ! Comme c'est le temps de Pâques, j'en profite pour aller me confesser. «Tes péchés tu confesseras au moins à Pâques humblement.»

Le prêtre qui entend mes péchés est un dominicain que je connais bien et que j'estime beaucoup. Il me dit d'un ton péremptoire, à travers la grille : «Voulez-vous ma chère enfant aller chez le diable ?» Je lui réponds : «Oh ! Non mon Père, c'est bien le dernier endroit où je voudrais aller.» «Alors, faites ce que vous devez.»

Les gens de ma génération comprendront bien ce que tout cela veut dire. Ceux de la génération actuelle ne comprendront rien à ce langage. Ils crieront peut-être au scandale; quant à moi, je trouve cela très bien et je me soumets. Le résultat ne se fait pas attendre longtemps. Le 6 octobre 1951 naît Kateri, le 18 avril 1953, François, et le 11 juillet 1954, Christian.

Je suis heureuse et mon mari aussi. Quatre filles et trois garçons. J'ai des enfants plein les bras, je n'ai plus rien à demander à la vie sinon de la vivre pleinement. Merci Père confesseur. À l'ouvrage maintenant.

Une deuxième famille
- Kateri -
1951

Il va falloir faire de la place, parce que Kateri a décidé de venir s'installer chez nous. On la baptise Kateri, prénom qui lui convient bien parce qu'elle ressemble à une petite indienne. Son entrée dans le monde ne s'est pas faite sans douleurs. Ah ! La La ! J'y ai goûté et elle aussi sûrement !

Kateri a un an et demi. Ses grandes sœurs s'en occupent bien. Qu'en pense Jean-Yves, le petit roi de 4 ans ? Se sent-il détrôné ? Peut-être en souffre-t-il inconsciemment ? Mais on ne reste pas longtemps le dernier dans la famille. Kateri à son tour doit céder sa place.

- François -
1953

En effet, le 18 avril 1953, un garçon est baptisé François en l'honneur de monseigneur François Méjecaze, le directeur du Collège Stanislas de Paris, de passage à Montréal. On voudrait bien qu'il le baptise mais François ne se décide pas à venir au monde. Tant pis ! Monseigneur doit repartir pour la France. On lui donnera quand même son prénom.

Il est accueilli avec joie, mais je me demande si lui est aussi content que nous. Il ne manifeste que du déplaisir. Regrette-t-il d'être tombé au milieu de cette famille assez spéciale ? Pourtant, on en prend bien soin, on l'aime, on le cajole, mais il n'en finit pas de pleurer. Toutes les occasions sont bonnes pour éclater en sanglots. Mais avec le temps, il finira bien par se consoler.

Avec maintenant six enfants, la vie va vite au 780 Rockland. Il n'y a ni chômeurs, ni chômage. On ne se pose pas de questions sur l'emploi du temps. Je me sens très bien quand je suis enceinte, c'est devenu mon état naturel. Mes forces physiques décuplent. Je choisis ordinairement ce temps pour entreprendre les grands ménages, au grand désespoir de mon mari qui ne partage pas mes enthousiasmes pour ce genre de travaux. Les travaux intellectuels le rebutent beaucoup moins.

Il m'arrive cependant d'être fatiguée, sans énergie, de perdre ma joie de vivre; alors, je cours en vitesse chez ce bon docteur Wevrick, notre voisin, d'origine juive. Il possède une potion magique, le B12, qu'il m'administre énergiquement dans «la partie charnue qui forme le derrière de l'homme»: définition de «fesse», mot que je n'ose écrire à cause de mon éducation. Quelques piqûres de B12 et le monde est à moi !

J'ai maintenant 38 ou 39 ans. Je ne sais plus, tellement les années filent à vive allure. La maternité me comble, c'est vrai. Mes enfants, c'est ma vie. Pourtant, il m'arrive d'avoir hâte à la ménopause. Quand je pense à Sara qui a eu son Isaac à 90 ans, ça me fait peur ! S'il fallait que cela m'arrive !

– Christian –
1954

Ce qui devait arriver arriva ! Me voilà enceinte pour la septième fois. Je suis heureuse de cette nouvelle naissance. C'est tellement extraordinaire de «faire des enfants». C'est toujours nouveau. Et le numéro 7 n'est-il pas considéré comme le chiffre chanceux ? Ne dit-on pas *Lucky Seven* ?

Le seul obstacle que je vois à cette nouvelle naissance, c'est l'espace. La maison commence à être petite. Je pose la question à mon mari. Mais où donc va-t-on mettre le nouveau bébé ? Il me donne une réponse pleine d'amour: «Une chose est certaine, on ne le laissera pas dehors.» Il adore les bébés. Il a dû avoir beaucoup d'amour de ses parents avant de devenir orphelin à l'âge de 3 ans. Cela explique bien des choses.

Les neuf mois écoulés, il est temps de repartir pour l'hôpital. Cette fois, je me sens lâche. Le précepte «Tu enfanteras dans la douleur» m'effraie. Pourtant, j'ai l'habitude, je devrais être plus courageuse. Tout se passe bien; j'ai vite oublié les douleurs de l'enfantement quand on me met dans les bras ce petit garçon plein de vie.

Je suis à court d'imagination. Je n'ai pas encore trouvé de nom qui convienne à sa physionomie, jusqu'au moment où, couchée dans mon lit d'hôpital, je feuillette le *Paris Match* de juillet 1954 et tombe sur «le maréchal Christian de Lattre de Tassigny». Rien de trop beau pour mon troisième fils. Il sera donc baptisé Christian, même s'il ne deviendra jamais maréchal.

Il est doux, toujours content. Il démontre beaucoup de patience en restant plusieurs heures par jour sur sa chaise à trou sans rien dire. Malgré toutes les qualités que je reconnais à mes enfants, ce sera le dernier. Quatre filles, trois garçons, l'équilibre des sexes est assez bon.

Nous sommes maintenant dix personnes à la maison. C'est assez de monde pour se distraire en famille. J'installe donc une pancarte à la porte de la maison. «SORRY NO VACANCY» !

Mes enfants sont enfin nés
1954 - 1955 - 1956

Ouf ! Enfin, tous mes enfants sont nés. Les mettre au monde sur le papier a été plus douloureux que dans la réalité. La maison bourdonne d'activités. On dirait une ruche, dont je suis évidemment la reine mère. Je travaille très fort. Je mets tout mon cœur dans les travaux les plus humbles, qu'on appelle domestiques. J'ai autant de plaisir à passer l'aspirateur qu'à jouer au golf. «All is in the mind», disait ma mère. Elle avait bien raison.

J'aime descendre dans la cave faire ma lessive. J'ai une machine à laver avec «tordeur». Évidemment, je n'ai pas de sécheuse pour la bonne raison qu'elles n'existent pas encore. Étendre mon linge dehors sur la corde, voir les couches flotter au vent comme des drapeaux enlevés à l'ennemi, quelle jouissance ! Je me sens *vainqueure*.

J'en ai lavé des couches. Si je fais le calcul, j'arrive au chiffre effarant de 230 279 et je suis conservatrice. Heureusement que ce sont des *Curity* lavables et non jetables. Voyez-vous la pollution et la fortune dépensée ? Il vaut mieux ne pas y penser.

Les trois chaises hautes

J'ai trois chaises hautes dans la cuisine. Je trouve cela bien pratique pour donner la becquée à mes petits oiseaux. Une vieille amie du couvent, Madeleine Boisvert, que je n'ai pas revue depuis 25 ans, est de passage à Montréal. Elle habite maintenant l'île Majorque. Elle vient me rendre visite.

Je suis heureuse de la revoir après tant d'années mais pour être honnête, j'ai surtout hâte de faire étalage de ma progéniture dont je suis tellement fière. J'entretiens au fond de moi, un sentiment d'orgueil qui ne fait qu'augmenter à chaque nouvel enfant. Mon amie n'a pas d'enfant.

Elle est habituée au calme et à l'ordre. Deux attributs bien discrets chez nous. Quand elle aperçoit les trois chaises hautes avec les trois bébés dedans, elle est estomaquée, elle n'en revient pas.

Je devine à son air qu'elle me trouve un peu folle de me mettre tant d'enfants sur les bras. Elle a raison, je suis folle, mais folle d'amour ! Pour tout l'or du monde, je ne donnerais leurs caresses et leurs baisers. Les plus beaux bijoux, les plus belles fourrures ne peuvent remplacer leurs bras autour de mon cou. En décrivant mes sentiments passés, je ne tombe pas dans le lyrisme, je dis simplement la vérité. Cependant, il y a un écueil à tant aimer ses enfants. Je sens que je deviens plus mère qu'épouse.

Pour en revenir à mon amie, elle est repartie pour l'Espagne et n'est jamais revenue me voir.

L'orgueil d'une mère
1959

L'action se passe vers 1959. Nos quatre filles sont au Collège Marie-de-France.

André Malraux, alors ministre des Affaires culturelles de la France, est de passage à Montréal. Un grand déploiement s'impose pour accueillir ce grand personnage. Les Guides du Collège Marie-de-France forment une haie d'honneur sur son passage.

Soudainement, il s'arrête devant une petite fille de 10 ans, la regarde, lui prend le menton, et dit d'un ton déclamatoire : «Mademoiselle, vous avez le visage de la France et le sourire de Jeanne d'Arc.» Cette petite fille, c'est ma fille, notre fille Kateri. On tient souvent les traits de ses parents. Son père, qui est Français, lui aurait donné «le visage de la France». Et sa mère, le «sourire de Jeanne d'Arc». Est-ce possible ? Je n'ose y croire.

Incident de parcours
VERS 1960 - 1961

«On ne voit pas le temps passer», comme le chante si bien Jean Ferrat. Quand j'écoute cette chanson, j'ai l'impression qu'elle a été écrite pour moi. «Fait-elle envie ou bien pitié, je n'ai pas le cœur à le dire.» Oui, à me voir courir comme un chien fou, aller de la cuisine au salon, du ménage au lavage, de la cave au grenier, de la tondeuse à l'automobile, je peux avoir l'air d'être à plaindre. Certains peuvent me croire condamnée aux travaux forcés; pourtant, il n'en est rien. Pour moi, c'est la vraie vie.

Ce qu'on ne voit pas, c'est le moteur qui anime toutes ces actions. Vous avez deviné ? C'est l'amour. Ah ! L'amour ! Toujours l'amour ! Il est l'ingrédient essentiel qui sert à relever toutes les sauces. On peut en mettre dans tout. Il ne gâche aucun plat, au contraire… il est magique !

Et le temps passe, *tempus fugit*. Déjà 20 ans et Pax Plante est de nouveau de passage à Montréal. Il vient pour la publication de son livre sur l'enquête de la moralité à Montréal.

Un autre petit coup de fil. Après un court moment d'hésitation et de surprise, je reconnais la voix de Pax qui me dit : «Bonjour ! Comment vas-tu ?» Il exprime le désir de me revoir après tant d'années et, cette fois, de connaître mon mari et mes enfants. Après consultation des «autorités», je l'invite à souper. Il accepte, mais à une condition : c'est qu'il apporte les «smoked-meat» de chez Schwartz de la rue Saint-Laurent, un souvenir du bon vieux temps.

Quant à moi, je suis fière de lui présenter mon mari et d'exhiber ma belle brochette d'enfants. Ils sont tous là, du plus petit au plus grand. Ils ont 19, 18, 17, 15, 11, 9 et 8 ans. Évidemment, tous plus beaux les uns que les autres. C'est le jugement d'une mère, il ne faut par trop s'y fier…

Cette deuxième rencontre ne me cause pas plus d'émoi. Mon cœur bat régulièrement. Je suis vraiment guérie de cette maladie d'amour. La soirée se déroule très agréablement. La conversation est animée. Pax raconte des événements très intéressants de sa vie. Il me fait beaucoup de compliments sur mon mari et mes enfants (d'ailleurs, je les attendais).

Avant de prendre congé de nous tous, il exprime sa joie de me savoir heureuse et d'avoir une si belle famille. C'est la dernière fois que je vois Pax, mais l'histoire se poursuivra...

Rencontre fortuite

J'ai une sœur, Berthe, mariée à John P. Clift. Elle est devenue veuve très jeune et a dû élever seule ses trois enfants, Dominique, Josée et Nathalie, dans des conditions difficiles. La vie n'a pas été clémente pour elle. Tous ses soucis ont grandement affecté sa santé. Vers l'âge de 55 ans, elle est victime d'un accident cérébro-vasculaire et devient paralysée. Elle doit être hospitalisée car son état nécessite beaucoup de soins.

Maman se met à la recherche d'un hôpital. On lui recommande un petit hôpital, très bien tenu par des religieuses, l'hôpital Notre-Dame-de-Lourdes, situé sur le boulevard Pie IX près de la rue Ontario. Il existe encore aujourd'hui. La religieuse qui fait visiter ma mère lui dit qu'il y a ici des gens très bien. En ouvrant la porte d'une chambre, c'est madame Plante, la mère de Pax qui est là. La surprise passée, maman, qui a gardé une petite rancœur au fond du cœur envers cette dame qui avait fait tant souffrir «sa petite fille», esquisse un petit sourire poli et quitte la chambre en vitesse. Madame Plante la rappelle et lui dit: «Madame Geoffrion, je vous demande pardon pour toute la peine qu'on vous a causée.» Ma mère, en bonne chrétienne qu'elle est, lui a sûrement accordé le pardon demandé.

Il faut convenir que cette coïncidence est assez extraordinaire. Mais que dire d'une autre, encore plus extraordinaire...

René et Pax réunis

Encore un événement inattendu. Après la rencontre fortuite de nos deux mères survenue 20 ans plus tard, voilà que le frère de Pax, jésuite, entre en scène. Il me téléphone, me demande des services, comme par exemple, acheter des vêtements, des sous-vêtements pour sa sœur qui est malade. Il se sait complètement ignorant dans ce domaine, même démuni. C'est avec plaisir que je lui rends les services qu'il me demande car, soit dit en passant, j'ai le «charisme du service». Demandez-moi n'importe quel service, je suis là. Le Père et moi formons une vraie paire d'amis. C'en est drôle !

Voilà qu'il me téléphone et me raconte son désir d'aller voir son frère au Mexique. Il hésite à y aller seul. Il n'a pas l'habitude de voyager et il ne parle pas l'espagnol. Le voyage lui fait peur. Incidemment, mon mari doit partir dans une semaine pour le Mexique. Le Père demande s'il peut l'accompagner. Une semaine plus tard, je reconduis René et le Père à Dorval. Ils s'envolent quasiment bras dessus, bras dessous, vers le Mexique. Rions mes frères !

Arrivés à destination, au Mexique, ils sont «accueillis» par d'énormes dobermans. La compagne de Pax vient ouvrir les portes de fer de la clôture et leur dit tout affolée : «Pax a disparu, il n'est pas rentré à la maison depuis 12 heures; malgré les recherches de la police mexicaine, je n'ai aucune nouvelle. Je suis très inquiète.» René, avec sa connaissance de l'espagnol, se met aussi à sa recherche. Après quelques heures, Pax apparaît, l'air surpris de voir René et son frère. Il ne comprend rien, il ne se souvient de rien de ce qui est arrivé. Il est tout sale et débraillé alors qu'il est ordinairement très soigné de sa personne, toujours tiré à quatre épingles. A-t-il été attaqué ? A-t-il eu un accident cérébro-vasculaire ? On ne le saura jamais. Il ne semble pas dans son état normal. On le conduit à l'hôpital d'où il ne sortira plus. Son frère lui administre les derniers sacrements et mon mari est là dans ses derniers moments.

On pourrait dire : quelle coïncidence ! Mais moi j'y vois la main cachée de Dieu. Quel étrange et mystérieux retour des choses !

6

Les vacances

Les vacances à Saint-Henri-de-Taillon
1958

À l'été 1958, la Providence prend le nom de mes neveux Tessier qui habitent Alma, au Lac-Saint-Jean. Ils m'offrent gracieusement leur chalet d'été situé sur les bords du lac, à Saint-Henri de Taillon plus précisément.

La distance entre Montréal et le Lac-Saint-Jean est assez grande, mais cela ne me fait pas peur. Je suis maintenant l'heureuse propriétaire d'une Oldsmobile usagée, style aérodynamique, ex-propriété de l'ex-président de l'ex-banque Provinciale. Elle est verte, couleur de l'espérance, ce qui fait revivre la mienne.

Partir pour deux mois à la campagne exige beaucoup de bagages. Un camion est mis à notre disposition. Pour la première fois, deux enfants vont se séparer de leur mère, ils monteront dans le camion avec le chauffeur «Tykaï». Pour eux, c'est une belle aventure, ils en sont très heureux.

Les cinq autres resteront avec moi. «All aboard», disait mon père. Ils se précipitent tous dans la voiture, les premiers rendus s'assoient et les autres tiennent probablement dans les airs par l'opération du Saint-Esprit. L'essentiel, c'est que les portières ferment. Et la route est à nous !

Le voyage est rempli d'imprévus. Nous roulons, euphoriques, sur les routes du Québec – qui ne sont pas hélas celles d'aujourd'hui – quand tout à coup des soubresauts anormaux se font sentir. Je range la voiture sur le bord du chemin, je descends. Un cri de désespoir sort de ma poitrine, ça y est, une crevaison ! Il faut vider le coffre arrière rempli à pleine capacité, prendre le pneu de rechange, installer le *jack*, enlever la roue, trouver un garage, faire réparer le pneu, etc.

Vous voyez la scène: une mère découragée, pleurant probablement, seule en plein parc des Laurentides avec cinq enfants de 3, 4, 5, 13 et 14 ans. Heureusement, j'ai mes adolescentes pour me remonter le moral. L'adolescence n'est pas toujours la période noire qu'on décrit, elle a aussi ses bons moments pour les parents.

Une crevaison passe, mais une deuxième, c'est trop. Que dire d'une troisième ? Il faut en rire, pour ne pas en pleurer. Et bien, cela nous est arrivé! Nous avons trois crevaisons à notre crédit – c'est du luxe! Le Bon Dieu, à qui je fais appel dans les moments désespérés de ma vie, a mis plusieurs bons samaritains sur ma route. Après 12 heures de route, et peut-être plus, nous arrivons enfin sains et saufs à notre chalet, tout neuf, tout propre, tout beau. Pour une fois, la réalité dépasse le rêve !

Le lac Saint-Jean ressemble à une mer, il est grand et beau. Les enfants sont heureux et la mère aussi. Les petits jouent dans l'eau sans aucun danger. Les moyens, Joëlle et Jean-Yves, se construisent des kayaks, des radeaux avec la pitoune qui descend le lac, pendant la «drave». Ils se rendent à l'île, située en face du chalet, avec des avirons de fortune. Je les surveille, mais il arrive qu'ils échappent à ma surveillance.

Pour jouir d'un peu d'intimité, ils se sont construit au haut d'un arbre gigantesque une plate-forme avec un système compliqué de cordages pour s'y rendre. Ces «chers petits anges», que font-ils «là-haut sur un arbre perchés» ? Ils fument des cigarettes. Je m'indigne, je me mets en colère, mais tout en les sermonnant, je pense à ma propre enfance. Après tout, je n'ai pas si mal tourné, malgré tous les mauvais plans que j'avais dans la tête. Il ne faut jamais désespérer de sa progéniture; «Bon sang ne peut mentir.»

Quant aux aînées, elles semblent entrer dans cette période qu'on appelle l'adolescence. Elles dédaignent les jeux de l'enfance et découvrent «leur corps». Elles se maquillent (rouge à lèvres, à joues, poudre, mascara), changent de coiffure, se mettent des crèmes de toutes sortes pour bronzer afin d'attirer les garçons. Je chaperonne discrètement Annik avec son Hermas, venu de je ne sais où. Mes ados s'occupent beaucoup des petits, comme on les appelle encore.

M. le Curé et les athées

Le dimanche, toute la famille va à la messe. Quel heureux temps ! Le curé, dans son homélie, se met à parler contre les Français : «Surtout, ne soyez pas comme ces Français athées qui ont abandonné la pratique religieuse !» Je me sens blessée au plus profond de moi-même, à cause de mon mari français. C'est vrai qu'il ne pratique pas beaucoup, mais de là à être athée... Il pratique les valeurs chrétiennes : justice, droiture, charité...

Chaque été, monsieur le Curé fait sa visite de paroisse aux villégiateurs. Arrivé à notre chalet, je lui en fais la remarque : «Je n'accepte pas vos propos; monsieur le Curé, faites la différence entre athée et non pratiquant.» Nous sommes en 1957. L'année suivante, il répète mot à mot le même sermon. «Ne soyez pas comme ces Français qui...» Lorsque tout à coup, il nous aperçoit. Nous ne sommes pas ce qu'on appelle «une minorité visible» mais on nous remarque. Pauvre curé, il essaie tant bien que mal de ravaler ses paroles. On aurait dit un danseur qui manque le pas.

La voiture de l'année

Je n'ai que de bons souvenirs de ces deux étés passés à St-Henri-de-Taillon. Les beignes chauds qu'on va chercher soi-même au fond du four, les framboises, la pitoune, la vieille Oldsmobile 1949.

Mon neveu par alliance est un personnage considéré à Alma. Il a un statut à maintenir. On se promène beaucoup sur les routes avec notre Oldsmobile. Je remarque qu'on chuchote sur notre passage des propos peu élogieux. «Cela ne se peut pas qu'ils soient les parents de J.P.T.» Les gens là-bas changent de voiture tous les ans; des vieux tacots, on n'en voit pas.

Je sens que je nuis à la réputation de mon neveu. Il faut changer d'auto même si je n'ai pas d'argent. Je me vois donc obligée de troquer ma bonne vieille Oldsmobile pour une belle Ford Station Wagon, flambant neuve. Elle est spacieuse, d'un bleu azur; tout le monde peut enfin s'asseoir. Nous avons l'air de vrais richards. Nous pouvons maintenant circuler la tête haute à travers le Lac-Saint-Jean. Grâce à notre nouvelle Ford, nous sommes devenus quelqu'un. L'honneur est sauf.

Le camping
Gaspésie, Old Orchard, Chutes Niagara
1960

Finis les chalets d'été à la campagne pour la famille. Nous commençons à avoir la bougeotte. Les enfants vieillissent, deviennent plus autonomes, plus débrouillards. Ils veulent voir du pays. Le temps des couches est révolu, la famille est terminée. C'est le temps de l'aventure. «Pourquoi pas le camping ?», proposent les enfants. L'idée me plaît et j'acquiesce d'emblée à cette proposition. Je ne connais rien au camping, mais il est temps de déléguer mes pouvoirs à mes aînés, d'autant plus que les filles sont guides et le garçon, scout. Ils prennent tout en main. Pour une fois, je n'ai qu'à me laisser vivre : achat du matériel chez le spécialiste du camping, monsieur Chouvalidzé; tente française Montclair, la Cadillac des tentes, accessoires de luxe. Rien n'est trop beau pour la famille Lescop.

Comme première expérience, nous faisons le tour de la Gaspésie en auto et non en vélo. Je connais la Gaspésie, non pas pouce par pouce mais mille par mille, souvenir de mon voyage de noces. Au départ, l'auto est pleine à craquer, comme d'habitude. Il y a neuf passagers. Moi-même, ma mère qui nous aime trop pour nous quitter, six enfants (heureusement, il manque l'aînée qui voyage en Europe avec son père) et ma sœur, l'écrivaine, qui transporte ses manuscrits avec elle aussi précieusement que le Saint-Sacrement. En cours de route, elle compose une chanson pour Kateri. Voici quelques mots dont je me souviens : «Miss Kateri, come with me, we will see the Gaspésie. We will stop at Mont-Saint-Pierre.»

Je dois dire que maman et ma sœur ne campent pas avec nous. Nous les déposons dans des «cabines» à proximité des terrains de camping. Tout le bagage est installé sur le toit de la voiture : tentes, casseroles, vaisselle, sacs de couchage, poêle Coleman, valises. Par prudence, j'ai pris une assurance spéciale pour les «amortisseurs de chocs».

Une fois installés, nous jouissons de la mer, du rocher Percé et de l'île Bonaventure, jusqu'au moment où le beau temps disparaît dans la brume et le charme du camping, en même temps. Je propose une petite virée vers le Sud, à Old Orchard par exemple. Quand il s'agit de bouger, tout le monde est d'accord. On décampe : 12, 15, 18 heures de route, cela ne nous fait pas peur. Quand même, n'exagérons rien. Une petite escale au Nouveau-Brunswick, dans un hôtel pour la nuit, sera la bienvenue. Nous louons deux chambres pour neuf personnes. Certains couchent par terre, les autres dans le lit, à tour de rôle. C'est le pique-nique, la fête ! La misère a parfois son charme ! Que de beaux souvenirs restent, quand tout est passé !

Arrivés à Old Orchard, encore une fois sains et saufs, avec la protection d'En Haut, nous campons au *Wild Acres Camping Ground* qui deviendra notre «royaume» pour plusieurs étés à venir.

Le camping comporte certains désavantages, mais par contre, que d'avantages il a ! Il ressert les liens de la famille car tous les membres sont impliqués, du plus petit au plus grand. Chacun a son boulot à faire. Il n'est pas permis de se croiser les bras. On travaille ensemble, on se repose ensemble, on va à la plage ensemble. Le soir, on chante, on danse, on se raconte des histoires devant un feu de camp. On invite des amis à venir partager nos repas du soir aux menus très éclectiques : hot dogs, hamburgers, clams, homards, spaghettis. Je me souviens du spaghetti aux «fines herbes» servi à un ex-ministre de la Justice, en l'occurence mon neveu Jérôme Choquette. Délicieux ! Vous voulez la recette ? 1- Faites bouillir les pâtes. 2- Rincer à l'eau froide. 3- Par mégarde, laissez-les tomber dans «l'herbe». 4- Enlever les grains de sable, si possible. 5- Ramasser les pâtes. 6- Ajouter beurre, sel, poivre, épices fortes. 7- Ouvrir le gallon de vin. 8- Manger à satiété. 9- Buvez à ma santé ! P.-S. : Ce spaghetti est particulièrement recommandé aux estomacs délicats. Il aide à développer les anticorps nécessaires à l'organisme. Il ne rend pas malade. C'est garanti. Bon appétit !

Les Chutes Niagara

Une autre belle expérience de camping, c'est la visite des chutes Niagara. Nous campons chez des amis, les Saine, qui ont une propriété d'été en Ontario. Ils ont 9 enfants; avec les miens ça fait 16. Vive les belles familles canadiennes d'autrefois !

Un souvenir qui me revient, c'est la «coupe de cheveux». Chacun y passe à la queue leu leu. Évidemment, on ne va pas chez le coiffeur. Voyez-vous cela, à 10 $ la coupe! Laisser 160 $ chez le barbier, il n'en est pas question ! J'ai tous les accessoires nécessaires à la coupe : ciseaux de barbier, peigne étroit, *clipper* et le pot de chambre qu'on met sur la tête. Rendue au dernier, je dois être fatiguée car je lui coupe un bout d'oreille. À 40 ans, il me le reproche encore. C'est son signe distinctif ! Pauvres enfants, les coupes n'étaient pas toujours réussies. Mais, il ne faut pas s'en faire : les cheveux repoussent, du moins quand on a 10 ans.

Lors de notre départ, je prends une photo des 16 enfants en train de placer le bagage sur le toit. On dirait une voiture sans roues tellement elle est écrasée. Malgré tout cela, on réussit à partir et, ce qui est plus extraordinaire, à arriver avec tous nos membres. *Praise God* ! Alléluia !

La grande aventure en Europe
1962

Toutes ces expériences de camping au Québec, en Ontario, aux États-Unis ne sont qu'un prélude à notre grande aventure : le camping en Europe. Comment en est-on arrivé à cette folle équipée ?

Depuis 25 ans déjà, mon mari est professeur au Collège Stanislas de Montréal. En reconnaissance de services rendus à la France, le gouvernement français lui offre, en plus des «Palmes académiques», un voyage en France pour lui et toute sa famille.

Comme René est chaque été guide touristique pour l'agence de voyages Hone, il ne peut accepter le voyage. Mais, je me dis: pourquoi laisser passer cette belle occasion ? Pourquoi n'irions-nous pas ? La difficulté, c'est que je suis une mère poule, je ne veux pas abandonner mes poussins, pour aucune considération. Je m'ennuierais trop. D'ailleurs, qui les garderait ? C'est fou, j'en conviens, mais cela est ainsi. On ira tous ou l'on n'ira pas.

Le gouvernement français défraie seulement les coûts du passage. C'est déjà beaucoup pour huit personnes. Cependant, il faut se loger, se nourrir, voyager à nos frais. C'est beaucoup pour notre petit pécule. La façon la plus économique est sans contredit le camping. Bravo ! La solution est trouvée et la France est le paradis des campeurs. Cela est à la portée de notre bourse !

Sur les entrefaites, monseigneur Méjecaze, le grand PDG qui règne sur les collèges Stanislas de Nice, Montréal et Paris est de passage à Montréal. Soit dit en passant, j'ai l'air de lui plaire, dans le bon sens, comme il se doit. Il m'offre un pavillon appartenant au Collège, situé à Meudon, dans la banlieue de Paris à environ trois quarts d'heure de trajet. Quand on est Canadienne française pure laine comme moi, «un pavillon» fait penser à un château. Je laisse errer mon imagination. Je me berce d'illusions. Je ne vois que mirage, je me complais dans des chimères...

Pour un pied-à-terre, près de Paris, on ne peut désirer mieux. J'accepte avec empressement cette offre, qui semble tomber du ciel.

Mais avant d'habiter ce pavillon de rêve, il y a bien des étapes à franchir. Tout d'abord, la préparation des bagages. Il faut apporter le nécessaire et le réduire au minimum. C'est tout un problème de mathématiques, croyez-moi ! Je vous fais grâce des préparatifs, imaginez-les vous même ! Mais nous avons tellement d'enthousiasme à faire ce voyage que rien ne nous paraît impossible.

C'est sur l'*Homeric* de douce mémoire que le 13 juin 1962, exactement 18 ans après notre mariage, nous embarquons toute la famille pour l'Europe. Je suis le chef de bande de mes sept enfants et René est le guide de son groupe de voyageurs. Je rappelle les âges des enfants : 19 ans, 18 ans, 16 ans, 15 ans, 10 ans, 9 ans, 7 ans et moi-même 46 ans, le bel âge.

La traversée est magnifique, sans soucis, je dis bien. Nous rions, mangeons, buvons, chantons, dansons. La vie à bord de l'Homeric est idyllique. Une seule ombre au tableau, le petit dernier s'écrase le pouce dans une porte de métal. Il crie et souffre terriblement. Après une visite à l'infirmerie, tout se calme, et il revient avec un beau pansement bien visible. On se console en disant que cela aurait pu être pire.

Paris

Après avoir vogué sur l'océan Atlantique pendant sept jours, nous arrivons au Havre. Le train nous attend pour nous amener à Paris. Je quitte avec regret mon mari et son groupe et je pars avec le mien.

Je dois prendre possession de la voiture que j'ai louée, une Estafette Renault. C'est un petit autobus très confortable. Enfin, chacun a son siège. Il y a de la place pour tout le monde et pour les bagages aussi. Une vraie petite merveille ! La maison de location, où nous devons prendre possession de la voiture, est située dans le centre de Paris. Je laisse mon fils de 15 ans seul sur un coin de rue avec un monceau de bagages, pensant naïvement que cette transaction prendrait peu de temps. Cela prend plus de deux heures. Quand j'y pense, j'en frémis ! Traverser Paris à l'heure de pointe, essayer de sortir du rond-point de l'É-toile est le pire des casse-tête. Mes filles ont la carte de Paris en main. Je tourne, tourne comme une toupie sans jamais réussir à prendre la bonne avenue. Tel Icare qui a réussi à sortir de son labyrinthe, j'ai dû moi aussi en sortir puisque quelques heures plus tard, après avoir récupéré mon fils, nous «volons» vers Meudon.

Le pavillon

Meudon est situé dans la banlieue de Paris. Nous avons hâte de prendre possession du pavillon qui nous est réservé. Arrivés à destination, nous ne l'apercevons pas encore, car il est protégé par d'immenses portes de fer et entouré d'un mur de pierres. Une concierge est préposée pour ouvrir et fermer les portes. Chaque fois qu'on entre ou qu'on sort, il faut sonner la cloche. Une grosse cloche suspendue avec une corde qu'on tire, ce qui fait la joie des petits. À première vue et, à la deuxième, c'est encore pire, notre pavillon a plutôt l'air d'une vieille et immense maison qui tombe en ruine. On croirait une grange désaffectée tapissée de fils d'araignées plutôt que le château dont je rêvais. Il n'y a aucun confort, rien ne fonctionne, pas même l'eau. Je répète souvent à qui veut m'entendre que je n'aime pas le luxe. Est-ce bien vrai ? Mais de là à la misère, il y a une marge. Ma déception est totale. Je suis découragée. Je pleure. Mon moral est à plat. Je veux mourir. Les enfants essaient de me consoler. Je me ressaisis tant bien que mal. Pour augmenter ma dépression, les incidents qui suivent n'ont rien de bien rassurant.

La concierge me raconte que dans les bois avoisinant notre pavillon, il y a, tous les soirs, des règlements de comptes. En 1962, c'est la guerre d'Algérie qui sévit. On y entend même des coups de feu la nuit et chaque jour, on ramasse des «macchabées» dans les bois. «Attention à vos enfants», me dit la concierge. Je suis terrorisée, c'est la descente aux enfers en chute libre.

Un soir, pour mettre le comble à mes angoisses, après un tour d'horizon de la Capitale en famille, mes deux filles aînées décident de rester à Paris avec des amis canadiens qui y séjournent. Je suis d'accord et je trouve tout à fait normal qu'elles veuillent sortir avec des amis «masculins». Malheureusement, elles ratent le dernier métro de 23 heures et arrivent à 2 heures du matin en taxi à Meudon. Si je ne suis pas morte d'inquiétude, c'est que mon heure n'était pas encore venue ! Ah ! Être mère, quel métier !

Après quelques jours de ce régime amer, je suis à bout de nerfs. Je touche mes limites. Je veux quitter ces lieux lugubres, sinon il y aura un «macchabée» de plus dans les bois de Meudon. On se met d'accord. Fini le rêve du «pavillon». «Adieu veau, vache, cochon, couvée» : on plie bagage pour planter la tente familiale au bois de Boulogne, en plein cœur de Paris, un autre bois plus accueillant celui-ci. Une condition requise pour avoir accès au camping :

habiter à plus de 200 kilomètres de Paris. Nous remplissons haut la main cette condition. Nous sommes dans la légalité !

Le camping du bois de Boulogne

Et commence pour nous la vraie vie. Tout le monde est de bonne humeur. La mère a repris ses esprits, son goût de vivre et de l'aventure.

Après l'installation de la tente, les visites aux tentes voisines commencent. Il faut dire que les campeurs forment une fraternité. On se parle, on échange avec facilité. Que de gens intéressants l'on rencontre ! Des gens de tous les pays : Italie, Espagne, Allemagne, Scandinavie, Angleterre. Il y a beaucoup d'étudiants étrangers, mariés ou non, avec des enfants, qui sont là par mesure d'économie et aussi, par goût. Mes aînés visitent les tentes et leurs «habitants». J'ai l'œil ouvert à leurs allées et venues. Mes plus jeunes promènent les bébés. Bref, encore une fois, c'est le bonheur retrouvé !

Chaque matin, après la corvée, nous partons visiter Paris. Nous ne voulons rien manquer. Chacun se soumet à la discipline du «groupe». C'est un préalable à la bonne entente. Quand, par exemple, nous montons au faîte de la tour Eiffel, ou que nous assistons à un spectacle de «sons et lumières», petits et grands sont ravis. Quand nous visitons les cathédrales, les musées, guide Michelin en main, les petits ne semblent pas très intéressés. Ils courent, se chamaillent, mais les aînés ont vite fait de les rappeler à l'ordre. Les vitraux, les chapiteaux, les gargouilles, les rosaces ne les impressionnent pas comme on le voudrait. Je vais même jusqu'à user de menaces : «Si vous ne restez pas tranquilles, on va vous renvoyer à Montréal.» Soit dit en passant, je m'en confesse, dans mon éducation, je me suis souvent servie de la menace, cette arme puissante qui est restée à l'état verbal... Qu'en pensent les «psys» ?

Les châteaux de la Loire

Maintenant que nous sommes bien acclimatés au camping, aux intempéries du voyage, la visite des châteaux de la Loire s'impose à notre désir de découvrir la France. Comme de vrais sages, nous nous arrêtons pour préparer cette nouvelle expédition. La conclusion est qu'il vaut mieux laisser la grande tente Montclair au camping du bois de Boulogne et se procurer trois petites tentes faciles à monter et à démonter. Nous pourrons ainsi coucher un soir à l'ombre de chaque château. Tout est simplifié. En route vers Amboise, Chenonceaux, Blois, Chambord! Chacun de ces châteaux a sa particularité, mais j'avoue que les détails m'échappent après tant d'années. Je dis simplement qu'ils sont «tous aimés, tous beaux». Quelle ivresse que de se réveiller, de s'étirer, de sortir de sa tente, de prendre son croissant et son petit café chaud face à un château ! On se croit roi ou reine. Ces plaisirs sont réservés particulièrement aux campeurs, les autres en ont d'autres !

Biarritz

La prochaine étape de notre voyage est Biarritz. L'Estafette est toujours docile et fringante. Elle est prête à partir, dès que le dernier passager est entré dans son habitacle. Le choix des places est souvent cause de mésentente entre les enfants mais on finit toujours par s'asseoir tous les huit.

Biarritz m'attire. D'abord parce que c'est beau et que j'ai des amis très chers de Montréal qui y sont avec leur famille. Les Gourd voyagent avec leurs cinq enfants, sauf qu'ils ne sont pas en camping. Ils ont loué une limousine avec un chauffeur pour visiter la France. Ils vivent comme nous toutes sortes d'aventures.

Arrivés à Biarritz, nous installons nos tentes dans un terrain de camping de grand luxe, cinq étoiles, à Bidard plus précisément. Nous dominons la mer : la vue est impressionnante. Les vagues sont d'une force comme je n'en ai jamais vue. Une autre chose que je n'ai jamais vue ce sont les «monokinis». Mes enfants écarquillent les yeux, moi, je les ferme. On ne sait plus où regarder. Là vraiment, avec la belle nature, on se croit au paradis terrestre – avant le péché de nos aïeux à tous.

À cet endroit de rêve, on passe beaucoup de temps. D'abord, on échange des visites avec nos amis. Ils viennent manger au camping des repas délicieux qu'on achète tout cuits à la cantine. «Le poulet à la basquaise» est un pur délice. J'en ai l'eau à la bouche rien que d'y penser. On peut tout se procurer sur place : charcuterie, desserts, croissants, pain. On se croirait au George V ou au Ritz.

Nos amis, eux, logent au Napoléon III. C'est l'ancienne villa d'été de Napoléon III et de l'impératrice Eugénie. Nous sommes invités par nos amis les Gourd à aller les visiter. Je stationne l'Estafette non loin de la majestueuse porte d'entrée. Le portier regarde tout éberlué les enfants qui n'en finissent pas de descendre. Il se demande sans doute qui sont ces intrus, ces romanichels ? Que viennent-ils faire ici ? Je prends mon plus beau langage, mes plus belles manières et j'explique que nous sommes bel et bien attendus. Il demeure incrédule. Après vérification, il consent à nous laisser entrer. Nous nous remettons très vite de cette petite humiliation. D'ailleurs, nous ne sommes pas susceptibles. Cela vaut mieux ainsi pour être heureux et continuer son chemin.

Quand on est en camping, on fait sa petite lessive et on l'étend sur la corde pour qu'elle sèche au vent durant la nuit. Oh ! surprise ! Le lendemain matin, quand mes filles vont chercher le linge, leurs soutiens-gorge et leurs petites culottes ont disparu. Le maniaque n'a pris que les petites tailles, mes sous-vêtements à moi sont encore sur la corde. Ah ! Étrange !

Je possède en détail l'itinéraire de mon mari. Je puis donc communiquer avec lui par téléphone ou aller le retrouver. Il est en ce moment avec son groupe de voyageurs à Lourdes. Pour moi, Lourdes est un lieu de pélerinage très important. Je désire voir la grotte où la Sainte Vierge est apparue à Bernadette Soubirous. C'est pour moi une joie spirituelle inexplicable. Je prie avec toute la ferveur dont mon âme est capable.

De Biarritz à Lourdes, c'est un très beau trajet à parcourir en voiture. Nous sommes très heureux de nous rencontrer et de savoir que tout va bien de part et d'autre.

Les filles, qui parlent l'espagnol couramment, expriment le désir d'aller en Espagne. Mon mari s'y oppose catégoriquement. Il trouve que c'est trop dangereux en été. Il y a trop de touristes, trop de vieilles voitures, il fait trop chaud. Nous promettons sans trop de conviction de ne pas y aller. Mais il n'est pas toujours facile d'obéir.

L'Espagne

Nous voilà donc partis vers l'Espagne. Le départ se fait le matin en grandes pompes. Tout le monde est là pour nous dire bonjour, car nous laissons derrière nous beaucoup d'amis au camping. Nous ne passons pas inaperçus – ce qui flatte mon ego – une mère, sept enfants, sans mari. Je vois encore les barrières se lever et les mains s'agiter derrière nous pour nous souhaiter bon voyage. Que nous sommes fiers et heureux ! Encore une fois, nous chantons, rions, filons vers l'inconnu, avant d'atteindre Burgos, notre première destination.

Il est 3 heures de l'après-midi. La température est torride. Les plus jeunes ont enlevé leurs vêtements. Ils sont en petites culottes seulement. Nous sommes à environ 30 kilomètres de Burgos. Soudain, un accident terrible survient. Une petite voiture rouge, en descendant une côte, vient se jeter à toute vitesse sur nous. C'est une collision frontale. Les vitres de l'Estafette volent en éclats. Je n'ai connaissance de rien. J'ai une commotion cérébrale. Je suis écrasée sur le volant et je ne bouge pas. Les enfants qu'on a sortis de l'auto me croient morte. On les dépose sur le bord de la route en attendant du secours. Il y a, dit-on, un attroupement. Le spectacle est apocalyptique. Quand les ambulances arrivent, on nous sépare. Deux enfants sont placés dans une ambulance et les cinq autres restent avec moi. Même inconsciente, je me lève de ma civière et demande sans arrêt «Où sont Joëlle et Annik?» (les deux qui manquent). Où est mon sac à main ? Quand, vers 8 heures du soir, je reprends conscience, je me vois dans une chambre d'hôpital avec mon fils Jean-Yves dans le lit à côté du mien. J'ai peur. Je n'ose demander : où sont les autres, sont-ils morts ? Je n'entends aucun bruit. C'est la désolation ! Peu à peu, mon fils me rassure et me dit que tout le monde est vivant, bien qu'il y ait des blessés. Je commence par m'informer de lui. Il a le nez fracturé (son beau nez) et le talon coupé profondément. Rien de trop grave. Les trois petits n'ont absolument rien, pas même une égratignure. Renée a reçu des éclats de verre dans la peau. Encore une fois, rien de grave. Comme elle parle l'espagnol, elle prend tout en main. Elle s'occupe de nous et fait l'interprète auprès des hospitalières car Annik et Joëlle sont dans un autre hôpital. Annik a le bras cassé et Joëlle, la rotule fracturée en trois morceaux. Joëlle est la plus blessée mais elle est soignée d'une façon très professionnelle.

Dans mon inconscience, je ne veux pas avertir mon mari de ce terrible accident. Je me dis, pourquoi l'inquiéter ? Mais les enfants sont plus sages que la mère. Ils me conseillent de lui téléphoner; il est alors en Italie. J'hésite à lui annoncer «les conséquences de notre désobéissance». Il ne me fait aucun reproche. Il veut venir à notre secours et laisser son groupe. Mais que peut-il faire, sinon attendre notre guérison ? Je refuse, la situation est assez compliquée comme cela.

Je ne veux pas non plus avertir mes parents de Montréal, surtout ma mère qui a 87 ans. Le choc serait trop dur à supporter. Mais voilà que la BUP (British United Press) se saisit de mon passeport et envoie la nouvelle à Montréal. Le lendemain, on peut lire dans *La Presse* et *Le Devoir* ce qui suit : *«Europe - 20 juillet 1962 - Neuf Montréalais connaissent des vacances tragiques. Mlle Louise Côté, 22 ans (que je ne connais pas) a fait une chute mortelle alors qu'elle visitait une galerie d'art à Florence, en Italie. Mme Marguerite Lescop et ses sept enfants ont été blessés grièvement aujourd'hui dans un accident d'automobile à Burgos, en Espagne.»*

Nos amis les Gourd, qui sont encore en France, viennent à notre secours. Cette visite nous réconforte beaucoup et nous montre que l'amitié est une bien belle chose.

Et dire qu'aujourd'hui, Mme Marguerite Lescop et ses sept enfants sont toujours en vie, après 35 ans, et fonctionnent assez bien, pour ne pas dire très bien. Dieu Merci !

La convalescence se poursuit normalement. Je suis toujours au lit. Je m'inquiète des petits. Va-t-on les garder à l'hôpital bien qu'ils ne soient pas blessés ? L'hôpital où nous sommes tous les cinq est un petit hôpital tenu par des religieuses. Elles ont la charité de nous garder tous. C'est un grand soulagement pour moi. Renée s'occupe de faire la navette entre les hôpitaux et m'apporte des nouvelles des deux autres blessées.

Je ne parlerai pas des 200 $ que je me suis fait voler à l'hôpital alors que j'étais quasi inconsciente. C'est assez de malheurs comme cela ! Après tout : «It's only money», dirait ma mère. Dans cet accident, on s'en est assez bien tiré malgré tout.

Mais que dire des personnes dans l'autre voiture. Il y a trois morts sur quatre passagers. Le chauffeur, qui n'a pas 30 ans, est gravement blessé. Il est dans la chambre voisine de mes filles, à l'autre hôpital. Il a perdu sa jeune femme de 25 ans ainsi que le bébé qu'elle portait en elle. Elle était enceinte de sept mois. Sa belle-mère est également morte sur le coup. Vous imaginez son chagrin. Il crie, il a des cauchemars épouvantables. Mes filles sont témoins de son désespoir. Pourquoi ce terrible accident ? Heureusement, je n'en suis aucunement responsable.

À cause de la chaleur intense qui sévissait vers 3 heures de l'après-midi, un pneu de l'autre voiture a éclaté («ribolton»). Le chauffeur a perdu le contrôle et s'est projeté sur nous à toute vitesse. Notre Estafette étant plus haute et plus lourde nous a protégés de ce choc violent. Je dois passer devant le juge d'instruction pour faire la preuve de mon innocence. Après avoir été exonérée de tout blâme, j'ai la permission de quitter Burgos et l'Espagne.

Madrid

Je ne suis pas encore au bout de mes misères. Cet accident m'a tellement ébranlée que je ne suis plus la même. J'ai peur de tout, de tout le monde. Je suis comme une pauvre orpheline ayant passé toute sa vie dans un orphelinat et qui, soudainement, est propulsée sans préparation dans la vie. Pourtant, il me faut à tout prix sortir de ce guêpier.

Il y a déjà 15 jours que nous sommes à l'hôpital. Je me remets de ma commotion cérébrale, bien que j'aie encore des étourdissements. Je marche avec difficulté car j'ai omis de vous dire que j'ai eu la cuisse coupée profondément. C'est si peu en comparaison du reste. Je prends donc mon courage à deux mains, le peu qu'il me reste, et pars seule pour Madrid, la grande capitale. Je n'ai pour bagage que quelques mots d'espagnol. Je me sens bien misérable et démunie. Je laisse Renée à Burgos en charge des blessés et des petits. Je lui ferai signe de venir me rejoindre quand j'aurai fait les démarches indispensables. Je vais d'ambassades en bureaux, de bureaux en ambassades, quêtant quelques secours. Je n'ai pas trouvé toute l'aide que j'attendais auprès de notre ambassade. On me donne bien quelques conseils, mais on me laisse me débrouiller seule. Je dois louer une autre voiture, changer les billets de retour au Canada, trouver un hôtel pour accueillir les enfants à Madrid, avoir l'argent nécessaire à notre subsistance.

Quand tout est réglé, je fais venir les enfants par le train de Burgos. Je me revois les attendant dans une petite gare de Madrid, me demandant avec anxiété si c'est bien la bonne gare ? Dans quel état vont-ils arriver, si jamais ils arrivent ? De toute ma vie, ce sont les moments les plus sombres que j'ai vécus. Heureusement, c'est bien la bonne gare, ils ne se sont pas fait enlever et ils sont en assez bonne forme. Mon cœur respire un peu mieux, l'étau se desserre et je reprends possession de mes enfants et quelque peu de mes esprits.

Madrid est une très belle ville avec ses places et ses musées, surtout El Prado avec tous ses chefs-d'œuvre.

La mode, en 1962, est au manteau de cuir et de suède. L'Espagne possède les plus beaux. Il faut en profiter. D'ailleurs, j'ai promis aux filles de leur acheter chacune un manteau. Tout le monde est d'accord et part en vitesse se choisir un manteau à son goût. Joëlle vient de subir une opération dans le genou, elle est très faible et amaigrie. Elle marche avec des béquilles. Ce qui doit arriver arrive. Elle s'évanouit dans le magasin. Affolement général, on la transporte sur une civière à l'infirmerie, on la ranime et la laisse reposer quelque temps. Mais le magasin ferme, il faut quitter les lieux. Une fois debout, elle s'évanouit de nouveau. On la réanime et «tout va très bien Madame La Marquise». Le but du magasinage est atteint : trois manteaux de cuir ou de daim. Que demander de mieux, dites-moi ?

On mange très tard le soir à Madrid, jamais avant 9 ou 10 heures. Je trouve souvent les petits endormis sur leur chaise. On les amène partout, à des concerts en plein air, à des spectacles de flamenco où danse Marie-Sol Hone, malheureusement décédée depuis. On se distrait le plus possible, afin d'effacer de notre mémoire les mauvais souvenirs.

Paris

Il faut maintenant penser à remonter vers Paris. Comme l'Estafette n'est plus que cendres et poussières, elle est remplacée par une énorme Ford Station Wagon. Malgré tous nos malheurs, la Providence veille sur nous. Une amie, Lucille O'Leary, qui habite Paris, a appris notre terrible accident et nous a fait parvenir une lettre ainsi adressée : «Madame Lescop, Canadienne, et ses sept enfants, accidentés à Burgos, Espagne». Eh bien ! Cette lettre nous est parvenue. Le croyez-vous ? Cette généreuse amie m'offre sa maison à Paris, située dans un très beau quartier. C'est une halte bienfaisante, une chance inespérée, avant le grand retour à Montréal !

Je reprends donc le volant d'une main tremblante. Je regrette mon Estafette, mais il ne faut pas pleurer indéfiniment sur les œufs cassés. La Ford est tellement large qu'on a peine à passer dans les petites rues étroites de Cannes, Nice. On nous prend pour des «riches» et l'on nous invective de bêtises. Je dis alors aux enfants : «Sortez vos plâtres et dites que ce n'est pas une voiture de luxe que nous avons, mais bien une ambulance.» Nous sommes des blessés et des «cassés» tout simplement. Les enfants sont très nerveux, ils me disent sans cesse : «Maman, fais attention.»

Dans l'accident, nous avons perdu l'Estafette, mais nous avons pu récupérer beaucoup de notre matériel de camping. Il est donc décidé que, pour remonter jusqu'à Paris, nous referions du camping. Encore une fois, nous ne passons pas inaperçus. À voir les plâtres, chacun vient s'informer de ce qui nous est arrivé. Comme nous sommes tous très sociables, nous ne lésinons pas sur les détails. Et de camping en camping, nous arrivons enfin à Paris en poussant un profond soupir de soulagement.

Mon mari arrive quelques jours plus tard à Paris avec son groupe. Il a hâte de nous revoir tous en vie. Nous nous sommes donné rendez-vous à l'hôtel Ambassador, où il doit descendre avec son groupe. Nous sommes bien installés, assis confortablement dans le hall de l'hôtel. Les petits garçons sont pas mal «tannants» et je les envoie attendre leur père à la porte de l'hôtel. Ils sont revêtus de leur veste à carreaux. Après quelques minutes, Christian revient en montrant plein de francs dans sa main. «Regarde, maman, ce que le monsieur m'a donné.» Pauvre petit. Heureusement, il ignore qu'on l'a pris pour un quêteux !

Le cauchemar est sur le point de se terminer. Je n'ai qu'un désir : me retrouver bien calmement au 780, Rockland. J'ai l'impression que je ne bougerai plus jamais… mais heureusement, le temps est un grand maître. Il sait effacer les mauvais souvenirs et nous remettre en marche vers des jours meilleurs.

7

Femme de carrière

Et ma carrière dans tout cela...
VERS 1964

Les enfants grandissent en âge, mais pas toujours en sagesse. Ils sont à l'école, au collège ou à l'université. Les filles sont très studieuses, les garçons le sont un peu moins, mais tout finit par se placer avec le temps.

Comme j'ai toujours aimé donner des conseils (l'habitude est prise), j'ai une folle envie de dire aux parents : «Ne désespérez jamais de vos enfants.» N'oubliez pas que l'adolescence, qui se prolonge parfois en dehors des limites prescrites, est un âge bien spécial. Comme une tempête qui s'élève sur la mer, elle finit toujours par se calmer. Il suffit de s'armer d'un peu de patience et de persévérance. Oui, «ces chers petits anges» m'en ont fait voir de toutes les couleurs. Il fallait bien que ce soit ainsi, je suppose, puisqu'ils sont ma consolation maintenant. Je n'exagère pas, c'est la pure vérité (parole de maman).

Mon mari s'occupe de l'instruction des enfants et moi, je m'occupe du reste. Il est exigeant pour les études, un peu trop à mon goût. Il emploie la méthode française qu'il a connue : discipline, punitions, étude. Pour lui, les résultats scolaires à la fin du mois sont bien importants. C'est probablement une façon d'exprimer son amour aux enfants. On ne comprend pas toujours que l'exigence est une preuve d'affection plutôt que de rejet.

Cela est souvent cause de conflits entre nous. J'essaie d'être plus indulgente, plus tolérante, sans toutefois tomber dans le laxisme.

En vieillissant, les enfants deviennent de plus en plus autonomes. Hélas, ils ont moins besoin de leur mère. J'ai par le fait même beaucoup moins de travail. Je commence à m'ennuyer à la maison. Je ne sais plus que faire de mes dix doigts. J'ai vraiment trop de loisirs.

Que faire ? Aller sur le marché du travail ? Je n'ai

aucune préparation. Il me manque les diplômes universitaires qui me permettraient de faire ce que j'aime. Mais au fait, qu'est-ce que j'aimerais faire? Comme je m'intéresse aux personnes, à leur bonheur, à leur perfectionnement (plus qu'au mien) et que j'aime aussi parler, la communication m'apparaît la voie à suivre.

L'expérience acquise au cours des années me vaut peut-être quelques diplômes? Après tout, sans trop me vanter, j'ai développé certaines aptitudes en faisant mon métier de mère et d'épouse. Ne suis-je pas : ménagère, cuisinière, amie, chauffeur, administratrice à temps plein, couturière, comptable, amante, conseillère, docteur, psychologue, à temps partiel? À énumérer toutes mes qualifications, j'en conclus qu'il me sera peut-être facile de décrocher «un petit job». On verra bien...

L'idée me vient de donner des cours de personnalité. Pourquoi pas? Il y a plusieurs écoles de ce genre à Montréal. J'ai presque l'embarras du choix. Il s'agit de trouver la «bonne» école qui me trouvera indispensable à sa «bonne» réputation. Après avoir consulté les pages jaunes, je me présente à l'école J.-G. B. Le directeur m'accorde une entrevue qui semble se dérouler à mon avantage. Cependant, afin de mieux connaître mes capacités, il me demande d'écrire un cours en dix leçons sur la personnalité, ce que je fais non sans difficulté.

Après une brève lecture de mon long travail, le directeur me remercie poliment, me dit qu'il y pensera et m'indique la sortie. Bien que je n'aie aucune expérience du monde du travail, je comprends que je ne fais pas l'affaire. Partons et cherchons ailleurs.

Dale Carnegie

J'ai lu autrefois, il y a de cela bien des années, le livre de Dale Carnegie, *How to make friends and influence people*. La lecture de ce livre m'a sûrement réussi parce que je me suis fait beaucoup d'amis au cours de ma vie. Je sais qu'il y a une école du même nom à Montréal.

Pourquoi ne pas tenter ma chance ? Je téléphone. Le directeur Ed Glowka et sa femme me donnent un rendez-vous immédiatement. Ils sont tous les deux anglophones et malheureusement, ou heureusement, ne parlent pas un mot de français. Quant à moi, je me débrouille tant bien que mal en anglais, ayant eu si peu l'occasion de parler cette langue.

Je leur présente mon cours en dix leçons. Ils n'y comprennent rien mais le trouvent très bien. Je les devine très perspicaces et très intelligents. L'école a justement l'intention d'ouvrir une classe en français pour les femmes. Ils m'en confieraient la direction. Imaginez mon étonnement; de rien, je suis promue directrice ! Il y a de quoi se réjouir !

Mais – il y a toujours un mais – je dois suivre le cours régulier de personnalité avant celui d'instructeur. Ces étapes à franchir me paraissent tout à fait normales. Comment, en effet, enseigner aux autres ce que l'on ne connaît pas soi-même?

Après cette rencontre, je suis d'un enthousiasme délirant. Arrivée à la maison, je raconte tout à mon mari et à mes enfants. Voilà que les objections commencent à pleuvoir. Les arguments négatifs me tombent sur la tête comme une pluie torrentielle. «Tu vois bien que c'est un attrape-nigaud, on veut simplement t'avoir comme élève, après cela, on te laissera tomber. Tu n'as pas besoin de ces cours, ils sont faits pour le monde ordinaire.» On est un peu snob dans la famille pour ce qui est de l'instruction et de la culture.

Ces arguments ne m'atteignent pas. Je me sens blindée comme un char d'assaut tellement j'ai le goût d'enseigner. J'accepte avec exaltation les conditions du directeur. D'un seul bond, je suis projetée dans le cours de personnalité et de relations humaines. Quoi qu'on en dise, j'en ai grandement besoin. Je me découvre un peu. J'apprends à maîtriser mes émotions, à trouver la chose importante à dire, à ne pas me perdre dans les détails (c'est une de mes faiblesses), à savoir écouter, à être positive.

Un autre principe que je ne contrôle pas encore, bien que j'y travaille de toutes mes forces, c'est le «Don't criticize, condemn or complain». Il est toujours d'actualité.

L'enseignement est simple, concret et pratique. C'est la participation qui le rend efficace. Exemple : savoir qu'on est timide et vaincre sa timidité, c'est deux choses. Penser s'adresse à l'intelligence, agir à la volonté. Deux facultés essentielles au développement de la personne. Mais laquelle est la plus importante, je vous le demande? Assez philosopher, passons à l'action!

New York

Je viens de terminer, je ne dirais pas brillamment, mais normalement, le premier cours de personnalité. Merci mon Dieu, j'ai maintenant de la personnalité. Je suis prête à attaquer le cours d'instructeur. Je dois aller à New York pour subir l'épreuve finale. New York me fait rêver. Le siège social de cette école est situé en plein cœur de la ville. C'est une grosse «boîte», je me sens bien petite, moi la Canadienne au milieu d'une cinquantaine d'aspirantes anglophones venues de partout dans le monde.

Mais les cours m'ont appris à avoir confiance en moi. Alors, je fonce. L'examen est oral. Il s'agit de faire un commentaire positif et rapide sur l'élève qui raconte une histoire. L'élève que je dois juger a un accent assez spécial, un accent écossais, me dit-on. Je ne saisis absolument rien de son récit, sauf le mot «letter» prononcé «laiteur». Avant que la panique ne s'empare de moi, je saute sur le mot «laiteur» et je brode dessus avec assurance. Voilà comment on devient instructeur à la célèbre école Dale Carnegie et que l'on revient à Montréal, avec un diplôme en mains.

Pas si honnête que ça !

Ma carrière est amorcée. J'enseigne en anglais. Le cours en français ne se donne pas encore. Un beau jour, le directeur me fait venir dans son bureau. Il a quelque chose d'important à me dire. J'ai peur. Veut-il me congédier ? Ai-je manqué à l'éthique professionnelle ? Tout est possible. Je tremble en entrant dans son bureau.

Après un long préambule qui me laisse toujours inquiète, le directeur, d'un ton solennel, me propose d'aller enseigner aux États-Unis, à Burlington précisément. Je proteste. Je ne me sens pas à la hauteur de la situation. Pourquoi ne pas envoyer une personne de langue anglaise, plutôt que moi qui «baragouine» l'anglais ? Son choix est fait : c'est moi qu'il a choisie. J'avoue que c'est très flatteur pour mon ego.

Avant d'accepter définitivement, j'en parle à mon mari qui m'encourage à le faire. D'ailleurs, soit dit en passant, il m'a toujours encouragée dans ce que j'entreprenais. Lui qui est polyglotte travaille alors à un dictionnaire. Il me rassure en disant qu'il y a 60 % des mots anglais qui viennent du français. Il n'y a qu'à choisir parmi ceux-là et à les prononcer à l'anglaise. Et le tour est joué !

C'est ainsi qu'avec mon petit bagage de connaissances, je pars tous les lundis pour Burlington. Le directeur, qui est Américain, ne trouve pas nécessaire de demander un permis de travail. Je me fie à lui et passe régulièrement aux mêmes heures, aux mêmes frontières américaines. Les mêmes questions se répètent : «What's your name ? Where are you going ? How long will you stay ? Where are you from ?» À toutes ces questions je dis la vérité, mais quand il me demande ce que je vais faire aux États-Unis, je réponds par un mensonge : «Visit a friend.»

Cette réponse suggérée par le patron réussit à me faire passer la frontière quelques fois, jusqu'au moment où le douanier décide de me fouiller. Il trouve les livres de Dale Carnegie, me suspecte (malgré mon air honnête) et me demande mon permis de travail. Hélas ! Je n'en ai point. Il ne veut pas me laisser entrer aux États-Unis. Je me sens comme une criminelle. J'avoue tout, je lui explique la situation, je le supplie pour cette fois encore de me laisser passer – je dois donner mon cours. Il me voit tellement déconfite qu'il s'attendrit et m'ouvre toutes grandes les frontières des États-Unis. Les douaniers ont aussi du cœur !

La contrebande

J'ai maintenant mon permis de travail. Je passe et repasse aux États-Unis, sans ennui. J'enseigne à une trentaine de femmes américaines. J'éprouve beaucoup de satisfaction et de plaisir à faire ce travail. Je me sens appréciée de mes élèves.

Mais voilà qu'au Canada, il y a grève de la Société des Alcools qui s'appelait alors «La Commission des liqueurs». Plusieurs personnes, même des gens très bien et très en vue, me demandent de leur rapporter, soit une petite bouteille de vin, une petite vodka ou un petit rhum.

Comment refuser à des parents et à des amis un petit service? Cette fois, c'est aux douanes canadiennes qu'on me soupçonne. On me questionne. «Vous n'avez rien à déclarer?» Encore un mensonge qui sort de ma bouche: «Non, rien monsieur.» Jusqu'au moment où le douanier met la main sur toutes les dives bouteilles et les confisque. Heureusement, on m'épargne le dossier judiciaire. Je suis sauvée.

Après ces mauvaises expériences, je mets fin à ma carrière de «contrebandière» et m'engage dans le droit chemin, une fois pour toutes.

Dale Carnegie et les Weight Watchers
VERS 1966

Malgré ces malencontreuses (et quelque peu malhonnêtes) expériences, je suis toujours en poste à l'école Dale Carnegie. C'est toujours à l'hôtel Mont-Royal de la rue Peel que se donnent les cours. Malheureusement, l'hôtel a disparu pour faire place à des boutiques de luxe, les Cours Mont-Royal.

Je me revois traverser d'un pas décidé le majestueux hall d'entrée. J'ai l'air conquérant et sûr de moi.

La tenue vestimentaire a beaucoup d'importance quand on enseigne à des adultes. Ma vocation de femme d'intérieur ne m'a guère préparée à soigner mon apparence extérieure. Je n'ai certainement pas enrichi les boutiques de vêtements haut de gamme. Pour moi, c'est plutôt le «Home made spécialisé». Les salons de coiffure ne me connaissent pas beaucoup. Mais j'avoue que c'est avec plaisir que je délaisse Reitman's (le Croteau de l'époque) pour feu le Salon Vendôme, et les bigoudis pour le coiffeur.

L'habit ne fait pas le moine, dit-on, mais cela aide grandement. Quand je pars donner mon cours, on ne me reconnaît pas. Je suis tirée à quatre épingles. J'ai l'air d'une vraie «Madame» avec mes beaux vêtements et ma coiffure à la mode. J'ai les cheveux bien peignés, hissés le plus haut possible et fixés fermement, jusqu'au prochain shampooing, avec le miraculeux Spray Net. Surtout, n'allez pas me passer la main dans les cheveux, vous sentiriez de la résistance... C'est une protection contre la familiarité !

Les W.W.

Et que viennent faire les Weight Watchers dans tout cela ? Voici. Il y a, dans le cours de personnalité, une dame qui suit assidûment les séances des W.W. En six mois, elle a perdu 100 livres. Je dis bien 100 livres. Elle en parle avec enthousiasme.

L'idée germe dans la tête du directeur de se lancer lui aussi dans des cours d'amaigrissement. C'est tellement populaire. Il faut en profiter. Il a les locaux nécessaires à sa disposition. Il a le professeur, Henriette Letarte, cette élève intelligente, aimable, fine comme une mouche. Pour trouver des participantes, «pas problème». En deux temps, trois secondes, tout s'organise vite et bien.

Le cours doit débuter mercredi, à 2 heures de l'après-midi. Mais voilà que la veille de cette grande première, notre chère Henriette est prise de panique. Elle ne veut plus donner le cours. Elle est comme paralysée devant cette éventualité. Inutile d'insister, elle ne peut pas affronter une classe.

À l'annonce de cette triste nouvelle, la déprime totale envahit l'âme du directeur. Il ne sait que faire. Annuler le cours ? Il n'en est pas question. Trouver une remplaçante à la dernière minute ? Ce n'est pas facile. Le directeur pense à moi. Il me téléphone. Au son de sa voix, je le sens paniqué. J'imagine qu'il veut me demander des conseils. Peut-être connaîtrais-je un professeur qualifié ?

Non, rien de tout cela. Il me propose d'être ce «professeur qualifié». J'éclate de rire à cette proposition, tellement je la trouve saugrenue. Je ne connais rien, absolument rien à ces cours d'amaigrissement. Mes notions en alimentation sont nulles. Et c'est pour demain.

Le directeur n'écoute aucun de mes arguments. Il se sent perdu. Il faut que je le sauve à tout prix. Je suis sa bouée de sauvetage. Il vante mes qualités de persuasion et d'habileté dans les situations d'urgence. Il est vrai que je suis assez «vite sur mes patins» quand il faut prendre une décision sans réfléchir. J'accepte. Il n'y a donc plus de temps à perdre. Le directeur vient à toute vitesse me porter la documentation sur l'alimentation.

Comme dans la fable *Le Corbeau et le Renard*, apprenez que «Tout flatteur vit aux dépens de celui qui l'écoute». Je me suis fait avoir !

Professeur autodidacte

Oui, le sort en est jeté. Je suis officiellement nommée professeur d'amaigrissement – surtout, ne nous affolons pas ! J'ai quelques heures devant moi pour préparer la première leçon, cela devrait suffire. Je n'ai pas besoin de tout savoir, de tout dire en une seule fois. L'expérience m'apprend qu'il vaut mieux dispenser sa science à petite dose. Cela me convient très bien, puisque je n'en ai pas.

Le mercredi, 14 heures est arrivé. J'ai devant moi une trentaine de personnes, toutes des femmes évidemment. Je les sens avides de m'entendre. Elles croient qu'il suffit d'assister passivement au cours pour maigrir.

Après les avoir saluées, je les félicite de vouloir maigrir. J'explique que ce n'est pas seulement une question d'esthétique, mais de santé. J'affirme, d'une façon convaincante, que c'est très facile. Elles n'ont qu'à suivre la diète qu'on leur donne et le tour est joué. Manger peu, lentement, savourer chaque bouchée, éviter les calories, supprimer les desserts sont autant de moyens pour maigrir. Qu'en pensez-vous? «Y'a rien là !» (Malheureusement l'expression n'existait pas à cette époque.)

Le mot «calorie» m'a échappé par mégarde. Ah ! Ces vilaines calories, cause de tous les maux ! Une participante me pose des questions plus scientifiques sur les calories. Elle veut des explications, la malheureuse ! En bon professeur qui ne sait pas, je réponds avec assurance qu'il ne faut pas aller trop vite. Anticiper sur le cours à venir est très mauvais. Il faut d'abord «digérer» le premier cours (faible en calories, Dieu merci) avant de commencer le deuxième. L'important pour aujourd'hui, c'est de se convaincre qu'il est possible de perdre du poids. La volonté joue un grand rôle dans la réussite.

Je termine «éloquemment» mon premier cours par ces paroles encourageantes : «Qui veut, peut. Bon courage ! Ne trichez pas. Bon appétit ! Souriez toujours, même devant un radis, une échalotte, une feuille d'épinard. C'est le moral qui compte. Ne l'oubliez jamais ! À la semaine prochaine...» Avec quelques kilos en moins !

Les O.A.

Et c'est ainsi que de semaine en semaine, les kilos disparaissent des bras, des cuisses, du ventre de ces dames et que j'apprends en même temps mon métier. «N'est-ce pas en forgeant que l'on devient forgeron ?» Pour des raisons que j'ai oubliées, le cours d'amaigrissement est supprimé. Je reste donc là, «bouche bée», avec toute ma science et mon enthousiasme, sans savoir où les dispenser.

Pourquoi ne pas fonder ma propre école ? J'ai maintenant pris l'habitude de sortir du foyer. Je deviens un genre de femme de carrière et cela me plaît. Les enfants et mon mari m'encouragent à poursuivre ma «carrière». D'ailleurs, petit à petit, les oiseaux quittent le nid. Les aînées pour se marier, les autres à cause des études ou pour plus de liberté... que sais-je ? Il ne reste que trois enfants à la maison, 13, 14, 15 ans. Comme je ne suis pas une maniaque du ménage, j'ai beaucoup de temps libre et beaucoup d'énergie en réserve.

C'est dans la joie et les rires que s'ébauche la fondation de l'école d'amaigrissement, mon école. Je nous vois tous réunis autour de la table de la salle à manger, cherchant des idées originales, un nom qui frappe l'imagination.

Eurêka, c'est fait. Arrêtons-nous là ! «Rendons à César ce qui appartient...» L'idée n'est ni de moi, ni de mon mari, mais bien des enfants. L'école portera les deux noms de «Club des O.A.» et de «L'Institut Marguerite-Bourlet» (de l'Institut Marguerite-Bourgeois déformé).

S.V.P. comptez vos calories
1974

Et voilà qu'à ma grande surprise, on me réclame de partout pour des cours d'amaigrissement. Dans les centres de loisirs, à Côte-Saint-Paul, Notre-Dame-de-Grâce, Sherbrooke, Joliette. Je diffuse mon message à la radio, à la télé. Je suis en train de devenir une vedette. C'est à se demander si la province de Québec ne pense qu'à maigrir ?

Joliette est sans contredit «ma meilleure». J'éprouve un plaisir fou à convaincre une cinquantaine de femmes que le bonheur réside dans la minceur. D'ailleurs, la publicité m'aide beaucoup. «Comment, dites-moi, pouvez-vous être heureuse avec quelques kilos (livres) en sus ?» Fini le beau temps des rondeurs, des poitrines pleines, des hanches élargies, le temps où l'on mangeait sans scrupules : tartes, gâteaux, sauces, etc. Maintenant, pensez-y bien : mesdames, vous mangez des «calories». Blague à part, la réussite est là ! Les femmes maigrissent.

Pour récompenser les efforts soutenus de ces dames, je distribue des petits prix qui ont plutôt une valeur symbolique. Cinq livres perdues méritent une plume d'oiseau collée avec art sur un carton multicolore (légère comme la plume). Dix livres, un galon à mesurer (pouces perdus), une pelote à épingles, un 50 doré. Même si on a atteint l'âge adulte, on reste toujours des enfants avec des besoins d'encouragement.

Une participante me dit un soir: «Quand je regarde dans mon assiette, c'est vous que je vois.» C'est dire que mes cours la poursuivent là où il faut.

Beau temps, mauvais temps, été, hiver, neige, vent, glace, pluie, grésil, rien ne m'arrête. Ma voiture sport Nissan SX (je suis loin de la Oldsmobile aérodynamique) me mène et me ramène à bon port, même si le dégivreur ne fonctionne pas toujours.

Un soir de tempête, le pare-brise est tellement gelé que j'ai à peine gros comme un 25 cents pour voir à l'extérieur. Le gardien de la guérite (on payait alors sur les autoroutes) me demande : «Conduisez-vous avec un radar ?» Parfois, je me le demande.

À la fin de la saison, j'organise avec mon assistante un défilé qui a un succès retentissant. Les femmes paradent d'abord avec leurs anciennes robes, tailles 42-44-46. Ensuite, elles arborent leurs nouvelles toilettes, tailles 8-10-12. L'auditoire se tord de rire. Les journalistes et les photographes sont là, à la recherche de nouveaux mannequins. Il y a une telle affluence à ce défilé qu'il faut limiter les entrées, à cause des assurances. La salle ne peut contenir plus de 250 personnes. On ne s'attendait pas à un tel succès.

Bref, c'est un triomphe ! Je suis au pinacle de la réussite, il ne me reste plus qu'à descendre. Et c'est la fin de «cette» carrière. Une autre m'attend impatiemment.

Commis de bureau, conférencière

Je ne sais plus par quel hasard, je suis rendue au centre de sondage de l'Université de Montréal. Je fais office de «garçon de bureau». Les humbles travaux ne m'ont jamais rebutée. Je trie des papiers avec d'autres employés, mais mon défaut, c'est que je vais trop vite. Je suis aussitôt démise de mes «importantes» fonctions, pour ne pas dire dégommée et mutée au téléphone.

L'enquête en cours porte sur les écoles de personnalité, sujet que je connais fort bien. La première personne que je rejoins répond à toutes les questions que je lui pose. Son nom est Francine Mongeau. Elle est directrice de *L'École de perfectionnement féminin*. Après l'interview, je lui glisse discrètement à l'oreille que j'ai quelque expérience dans les relations humaines et, surtout, que le mariage m'a beaucoup appris. Après une brève rencontre, je deviens presque la psychologue, sans diplôme, du cours qu'on me confie.

Je me donne corps et âme à mes élèves. Je veux à tout prix leur inculquer le bonheur, la joie de vivre que je possède. Cela ne veut pas dire que la vie soit sans remous, mais, comme la vague, il faut savoir la prendre du bon côté pour ne pas chavirer. L'humour est un très bon moyen. «Il vaut mieux rire que pleurer.» Je finis par condenser tous ces cours et je deviens subitement, comme frappée par une baguette magique, conférencière.

C'est devant un public que je me sens bien et j'en profite le plus souvent possible. Je promène «ma» conférence intitulée *La joie de vivre* à travers tout le Québec. J'aime quand ça bouge. Je ne sens aucune objection de la part de ma famille. Je suis libre comme l'air et la vie est belle. J'ai l'impression de semer de la joie à pleines mains. C'est une grande satisfaction, car en même temps que je sème d'une main, je récolte de l'autre. «Donnez et vous recevrez», a dit le Christ. Rien n'est plus vrai.

Provigo ou la fin d'une carrière

Mais qu'est-ce que peut bien faire Provigo dans ma vie à part quand je fais mon marché ? Provigo fête un anniversaire important dont j'ai hélas oublié «l'importance». Qu'on me le pardonne ! À cette occasion, une grande manifestation est organisée à Québec, dans un grand hôtel.

Pendant que les hommes assistent à des conférences sérieuses, il faut occuper les femmes. Le conférencier invité est nul autre que Guy Saint-Pierre, ministre du temps dans le cabinet Bourassa.

Devinez qui fait le pendant au Ministre dans une salle voisine bondée de 300 femmes environ ? Nulle autre que ma petite personne (5'1"). Je tremblotte quelques secondes intérieurement avant de m'adresser à ces dames, mais vite, je reprends mon aplomb. Ce n'est pas le temps de m'effondrer. Au contraire, il faut conquérir ce vaste auditoire. À entendre les rires, les applaudissements et le *standing ovation*, je crois, sans trop d'orgueil, avoir été à mon meilleur.

Faute de demandes, ce fut ma dernière sortie dans le monde des «affaires». Je retournerai à mes chaudrons, à mes casseroles, attendant patiemment la naissance non d'un enfant mais d'une autre carrière ou vocation. Quelle sera-t-elle ? Je l'ignore.

Madame Vanier
- Les côtelettes à la bordelaise -
1975

Je me risque, malgré mon jeune âge, à prendre une retraite prématurée. Devant l'inévitable, on n'a qu'à se soumettre. Je redeviens comme avant : mondaine. Je vais au théâtre, au cinéma. Je fréquente mes amis. Je les reçois à la maison sans cérémonie. Mais voilà qu'un incident imprévu survient.

Par l'entremise d'une amie, Margot Eudes, je fais la connaissance de madame Vanier, la femme du Gouverneur général du Canada. Madame Vanier est impressionnante : grande, belle, distinguée, racée. Mais elle est si gentille et si affable qu'elle vous met à l'aise immédiatement. Elle est à l'écoute des autres. Elle semble s'intéresser à ma petite personne, s'informe de mon mari, de mes enfants, de mes activités.

Est-ce possible qu'elle me parle d'égale à égale ? Elle va jusqu'à exprimer le désir de venir prendre un repas à la maison. Je réponds un oui assez évasif, espérant qu'il se perde dans la nuit des temps. Un peu plus tard, je la rencontre de nouveau et elle me dit : «Alors, cette invitation, c'est pour quand ?» Je me sens prise au piège. Comment dire non ? C'est impossible, il faut que je m'exécute. Je lance au hasard : «Disons la semaine prochaine, jeudi midi.» Cela me donne une semaine pour me préparer.

La maison, que j'aime tant, m'apparaît tout à coup avec tous ses défauts. Il faut faire le ménage de la cave au grenier. Je descends rideaux, tentures, je range les placards, je lave les murs, je vide les tiroirs. Je transforme madame Vanier en «inspecteur du gouvernement». Je l'imagine faire le tour de la maison, avec une loupe peut-être, sans omettre le moindre petit coin. Elle visite la chambre à fournaise, ouvre toutes les portes fermées, regarde en dessous des lits... J'en perds le sommeil! Je vis un martyr!

Les jours se rapprochent de plus en plus de la date fatidique. Il ne faut pas seulement penser au ménage, le menu aussi est important. Qu'est-ce qu'on va donc manger ? Moi qui ai nourri neuf personnes, trois fois par jour pendant moult années, je ne sais plus rien faire. Lui servir du jambon, du poulet, du boeuf, du porc? Voyons, c'est trop ordinaire, trop banal pour madame Vanier. Je voudrais presque créer une viande nouvelle. Rien ne me paraît digne de madame Vanier. Je demande conseil à mon entourage.

Ma soeur, qui a l'habitude des réceptions, me suggère «les côtelettes de veau à la bordelaise». C'est une recette simple et délicieuse que je réussirai en un tournemain.

Mais voilà, j'ai une obsession, j'aime quand la viande fond dans la bouche. J'ai la hantise de la viande dure.

Pourquoi ne pas faire cuire le veau quelques jours d'avance ? Comme cela, je ne serai pas prise au dépourvu. Il sera tendre.

Et la sauce au vin blanc, c'est important. C'est elle qui donne la finesse au plat. Ah! mon Dieu! Que de transfusions elle subit ! Elle est trop claire, je rajoute un peu de farine. Elle est devenue trop épaisse, je verse du vin. J'y goûte, elle n'a pas de goût. J'ajoute quelques épices, elle chatouille la langue un peu trop. Enfin, après de nombreuses manipulations, je l'abandonne à son triste sort. «Vogue la galère!»

La maison est propre, la table est dressée pour huit personnes, le repas est prêt (et comment), je suis sur mon trente-six, je n'ai plus qu'à attendre mon hôte de marque. Je fredonne à mon insu : «Allons enfants de la Patrie, le jour de gloire est arrivé.» Le veau à la bordelaise est au four.

Les deux garçons viennent dîner à la maison. Ils sont avertis de manger discrètement et de venir ensuite saluer poliment madame Vanier et les invités. Tout se déroule bien. Nous sommes au salon à prendre quelques cocktails. La conversation est animée. Il est maintenant temps de passer à table.

Comme je n'ai pas de serviteurs, je demande à une amie de m'aider. J'ouvre le fourneau et cherche en vain quelques semblants de côtelettes de veau. Les garçons se sont servis avant nous, mais ils ne sont pas les seuls responsables. Je ramasse tant bien que mal les quelques morceaux qui restent et avec le plus beau sourire, je sers mes invités. Je verse beaucoup de vin dans les verres.

Je ramène les assiettes presque pleines à la cuisine et mon amie, qui m'aide à desservir, me dit : «Mais qu'est-ce que tu nous as fait manger pour le saint monde ?» Je n'ose répondre : «Des côtelettes de veau à la bordelaise.» C'est plutôt de la «bouillie pour les chats», et je me demande même si les chats en auraient voulu ?... On n'a plus les chats qu'on avait !

8

Nous deux

Les oiseaux se sont envolés
1973

Pendant que les années s'écoulent, la maison se vide de ses enfants. René et moi restons seuls tous les deux. C'est la loi de la nature. Heureusement qu'il y a les petits-enfants. Il y aura, par ordre de venue : Kateri, Christine, Jean-Christophe, Stéphanie, Antoine, Véronique, Louis-Raphaël, Marie-Joëlle, Marie-Louise, Nicolas, Timothée, Noémie, Antshiusse, Gaëlle, Ariane et Flavie. J'espère n'en avoir pas oublié.

Ceci me rappelle deux histoires qui heureusement se terminent bien. En 1966, mes amis qui voyagent en Europe avec leur famille en même temps que nous, s'arrêtent à une station d'essence. Les cinq enfants sortent de la voiture pour se dégourdir les jambes. Mes amis repartent sans perdre de temps. Après avoir parcouru quelques kilomètres, ils s'aperçoivent qu'il manque un enfant. Vite, marche arrière, angoisse, retrouvailles, embrassades, tout est bien qui finit bien. Le compte y est.

C'est le mois de novembre, le mois des morts. Mon amie Thérèse Saine, mère de neuf enfants, décide d'aller prier sur la tombe de ses parents et d'y amener ses enfants. C'est l'heure de la fermeture. Elle doit quitter le cimetière en vitesse. Il fait noir. Arrivée à la maison, elle prépare son souper, comme une bonne mère, lorsque la cloche sonne. Elle est toute surprise de voir la police à sa porte qui lui demande : «Est-ce à vous cet enfant qu'on a trouvé au cimetière ?» Ces aventures n'arrivent qu'aux familles nombreuses ! Quant à moi, avant de mettre le pied sur l'accélérateur, je compte toujours 1, 2, 3, 4, 5, 6, 7. L'expérience des autres me sert.

Mon mari est maintenant à sa retraite depuis quatre ans. Pour occuper son temps, il travaille, toujours le cigare au bec, à la réalisation d'un dictionnaire étymologique polyglotte. Sa connaissance des langues l'a bien préparé à ce travail de «moine». Il y met toutes ses énergies et tout son

cœur. Malheureusement, on lui refuse les subventions nécessaires à la poursuite de son projet. En même temps, sa
santé s'altère. Il est atteint de cette terrible maladie, le can-
cer. Il abandonne peu à peu son projet de dictionnaire et semble perdre goût à la vie. Il se soumet aux traitements sans
jamais se plaindre, ce qui est étonnant, lui qui s'est plaint
toute sa vie de la fièvre des foins. «Maudit climat !», disait-il en
parlant du climat québécois, avec son accent bien français.
Pauvre René, il est morose et renfermé. Il semble me rejeter.
Je sens qu'il souffre moralement, moi aussi je souffre. Mais,
en dépit de la situation difficile, je continue à l'aimer. J'essaie
de lui manifester de la tendresse qu'il repousse avec indif-
férence. L'atmosphère n'est pas très gaie à la maison :
René est très malade et moi-même j'ai une vésicule biliaire
qui fait des crises à tout moment. Je n'ose le laisser, mais je
dois me faire opérer, sinon je risque de mourir, me dit mon
médecin. Je n'ai pas le choix. Pendant mon court séjour à
l'hôpital, une de mes filles vient garder son père. À peine revenue, je deviens la garde-malade de mon mari qui reste alité.

On est en novembre 1977. Pendant les deux mois
qui précèdent sa mort, un changement extraordinaire se
produit dans son attitude vis-à-vis moi. L'amour, probablement gardé en réserve, réapparaît comme autrefois. Quand,
par exemple, il doit se lever de son lit, pour ne pas tomber,
il me tient serrée contre lui et fait aller ses doigts sur ma
taille, comme une caresse. Ce sont les plus belles caresses
d'amour que j'aie jamais reçues. Il me dit : «Comme tu es
bonne, je te remercie.» Cela veut tout dire. En me rappelant
ces souvenirs, les larmes me viennent aux yeux. Je garde
précieusement dans mon cœur ces mots et ces gestes
d'amour comme un précieux trésor. Les deux derniers mois
de sa vie sont peut-être parmi les plus beaux de ma vie !

La petite enfance de René
DE 0 À 3 ANS

Il peut paraître étrange d'enchaîner avec la petite enfance de mon mari, après sa mort. Mais avant 1942, j'ignorais tout de sa vie. Je n'ai appris que par après qui il était et d'où il venait. C'est au fur et à mesure du temps que je découvre celui avec qui j'ai promis de vivre toute ma vie. Tout ce que je sais, c'est que je l'aime. Me voilà bien avancée ! C'est beaucoup et c'est bien peu. Je vous le demande, est-ce possible qu'une personne, qui se dit sensée, soit prête à tout risquer, après un seul petit sursaut de son coeur ? Appelle-t-on cela de l'arythmie cardiaque, de la folie ou de l'amour ?

L'amour n'est-il qu'une simple question de chimie, d'atomes crochus, d'ondes positives ou négatives ? Est-ce l'aspect extérieur ou intérieur qui attire un être vers l'autre ? Suffit-il d'un regard, d'un beau nez, d'un accent français... pour chambarder toute une vie ? Autant de questions qui restent sans réponses. L'important pour moi, c'est que l'amour a un nom: il s'appelle René.

René me parle de son enfance, de ses parents, de son pays. À le voir, je n'aurais jamais deviné qu'il ait eu une enfance aussi triste. Il est né à Saint-Herlin, petit village situé près de Guingamp, en Bretagne.

C'est le 29 janvier 1912 que René vit le jour – ou était-ce la nuit ? – dans une vieille maison de pierres, sans aucun confort, ni commodités. Dans cette maison, le plancher est en terre battue. Il y fait très froid, c'est l'hiver. Comment René a-t-il pu survivre au froid, lui qui a une nature sensible, pour ne pas dire, ultra-sensible ? La vie est souvent plus forte que nous.

Ses parents sont pauvres, mais ils possèdent l'essentiel, l'amour. Ils savent en donner à leur petit garçon. C'est le plus bel héritage qu'on puisse léguer à ses enfants. Son père est marin. Vers l'âge de 19 ans, il vient pêcher la morue dans les eaux de l'Atlantique, une photo en fait foi, près des Iles Saint-Pierre-et-Miquelon (probablement à 200 milles des côtes)... Il n'est pas capitaine de son bateau, mais un simple matelot.

Plus tard, quand le père de René se marie, il abandonne ce métier trop périlleux et devient agriculteur. Il épouse une petite Bretonne au prénom évocateur de Marianne. Elle ne porte pas le bonnet phrygien, mais la coiffe de Bretagne. Le premier enfant à naître de cette union est René. Deux autres enfants, un garçon et une fille, naîtront par la suite.

Pour vous parler de la petite famille, j'ai sous les yeux une photo qui date de 1912. Cela fait exactement 83 ans. En la regardant, je me sens attendrie. Je veux partager avec vous mon émotion.

Trois personnages sont bien présents : le père, la mère et le bébé. Le père : l'homme est debout, presque majestueux, l'air très doux, moustache légèrement tombante, cheveux noirs lissés. Il porte un complet sombre avec une chemise blanche et une cravate pâle. Il pose tendrement la main sur l'épaule de sa femme, dans un geste protecteur et non dominateur. Il a environ 30 ans. Il s'appelle Joseph.

La mère : sa femme est assise sur le fauteuil traditionnel du photographe. Comme son mari, elle a l'air très doux. Elle est menue et délicate de taille. Elle porte une robe de serge noire, longue jusqu'à terre. Aucun bijou, aucune fantaisie. Sur sa tête est posée une délicate coiffe bretonne en organdi blanc. On dirait une couronne sur ses cheveux noirs. Marianne semble l'incarnation même de la douceur et de la bonté. Elle paraît avoir environ 25 ans.

Le bébé : voilà le bouquet ! La maman tient sur ses genoux un beau bébé bien en santé qui a le goût de vivre. Il doit avoir six ou sept mois. Il porte une petite robe blanche en coton, brodée et bien empesée. Comment peut-on réussir à habiller les enfants aussi bien, avec si peu de moyens ?

On voit ses «petites» menottes et sa belle «grosse» tête de Breton. On a envie de le caresser, de l'embrasser. C'est René !

La vie s'écoule paisiblement, j'imagine, dans ce lieu retiré de la Bretagne. Rien à signaler, sinon le travail quotidien, acharné, obscur de chaque habitant du village. Il faut travailler dur pour gagner son pain. C'est la loi de la nature. «Tu gagneras ton pain à la sueur de ton front.» On naît, on aime, on travaille, on meurt. Comme une roue qui tourne, cela continue inexorablement.

Un an s'est écoulé depuis la naissance de René et bientôt arrive un autre petit garçon, que l'on nomme Yves, en l'honneur de saint Yves je suppose, le patron des Bretons et des avocats.

L'année suivante, une troisième naissance s'annonce. Cette fois, c'est une petite fille. Toute la famille se réjouit. Mais bientôt la joie se change en tristesse. La petite sœur meurt quelques heures après sa naissance. La mère devient très malade. Elle est atteinte des fièvres puerpérales, une maladie infectieuse qui se déclare parfois à la suite d'un accouchement.

La médecine n'est pas très avancée en 1914, surtout au fond de la Bretagne. La maman ne peut recevoir les soins qui la sauveraient. Aussi, quelques jours plus tard, elle meurt, laissant derrière elle René, 2 ans et Yves, 1 an.

Quelle désolation, quelle peine, quelle douleur pour le père qui reste seul avec ses petits ! Mais il faut continuer à vivre et la vie, encore une fois, pige dans ses réserves sans fond et reprend ses droits.

On est en 1914. C'est la déclaration de cette terrible guerre de 1914-1918. Le père de René est appelé sous les drapeaux. Il est consigné dans l'infanterie comme simple soldat. Après plusieurs mois passés dans les tranchées humides et glaciales de Verdun, il tombe malade d'une pneumonie. Il est ramené du front, transporté dans un hôpital militaire et meurt quelques mois plus tard.

Le petit René a 3 ans. Il est orphelin de père et de mère. Cela le marque pour la vie et explique bien des choses. Il a, dit-il, gravé dans la mémoire des souvenirs bien tristes. Il se souvient de son père mort, étendu sur son lit dans sa chambre, selon la coutume du temps. Quelqu'un prend René par la main et le fait sortir de la chambre, afin de lui épargner le triste spectacle de voir partir son père à tout jamais. Pourtant, me dit-il : «Jamais je n'oublierai ce dernier regard que j'ai posé sur mon père.»

Il n'y a pas de salon mortuaire à cette époque, tout se passe à la maison. On a un grand respect des morts. On parle à voix basse et l'on prie, souvent toute la nuit, auprès du corps. Les coutumes ont bien changé. Autre temps, autres mœurs !

Qui maintenant va prendre soin du petit garçon sensible qu'est René ? On le confie à sa grand-mère maternelle. C'est une vraie paysanne bretonne qui ne parle que le breton. René sera donc «un Breton bretonnant» jusqu'à l'âge de 7 ans. Il apprendra le français quand il ira à l'école communale.

La grand-mère est bien bonne pour lui, mais elle n'est pas jeune. Combien de temps vivra-t-elle ?

René
VERS 1920

Malheureusement, la bonne grand-mère meurt quelques années plus tard. René a environ 8 ou 9 ans. Il est pris en charge, tantôt par une tante, tantôt par une autre. Comme c'est un enfant docile et studieux, ses cousins prennent ombrage de lui. Ils sont jaloux de ses succès scolaires.

Comme autrefois dans la province de Québec, des prêtres passent dans les écoles de campagne pour recruter de nouvelles vocations. Un père salésien de la communauté de Dom Bosco visite la petite école fréquentée par René. Il demande à l'instituteur : «Avez-vous un petit garçon qui aime l'étude parmi vos écoliers ?» L'instituteur désigne René. Il ajoute qu'il sait son catéchisme d'un bout à l'autre (et moi j'ajoute avec un certain sourire, il l'a un peu oublié au cours des ans). Le prêtre est intéressé et demande à René : «Aimerais-tu faire des études dans un collège classique ?» La réponse ne tarde pas à venir. C'est évidemment un «oui» enthousiaste qui sort de son cœur.

Quelques mois plus tard, René est pensionnaire dans un collège de Salésiens situé aux îles Jersey ou Guernesey, îles anglo-normandes situées dans l'Atlantique, près des côtes de Bretagne.

L'étude devient pour lui une passion et sa planche de salut. Il restera chez les Salésiens jusqu'à l'âge de 26 ans, jusqu'au moment où il découvre qu'il n'a pas la vocation religieuse. Pendant cette longue période, il accumule les diplômes. Il passe quelques années à Turin, où il est directeur d'une revue missionnaire et obtient sa licence en italien. Il ne regrette nullement cette période car, sans les Pères Salésiens, il serait resté sans instruction et peut-être sans famille... Il leur est très reconnaissant, moi aussi d'ailleurs.

Après ce temps passé quelque peu en serre chaude, il sort du noviciat sans aucune expérience du monde. Il doit affronter les difficultés de la vie, seul, sans personne. Il a 10 dollars (40 francs) en poche et porte l'habit de celui qui vient d'entrer au noviciat.

Grâce à une religieuse, Sœur Louisa Lescop, qui porte le même nom que lui (aucun lien de parenté), il devient précepteur dans une grande famille française. Cette religieuse a ses entrées dans la haute bourgeoisie. Elle s'est intéressée à René alors qu'il était directeur de la revue missionnaire italienne.

Après cette expérience, il entre au Collège Stanislas de Paris, comme simple surveillant. L'année suivante, il est nommé professeur titulaire, jusqu'au moment où on lui offre un poste permanent à Montréal, P.Q., où l'attend sans le savoir, une petite Canadienne. «Vive la Canadienne, vole mon cœur vole. Vive la Canadienne et ses jolis yeux doux.»

Les charismatiques
Une opération cardiaque
DE 1975 À NOS JOURS

Le temps passe si vite que j'ai l'impression d'avoir installé ma vie dans le T.G.V. français. Il file, il file… C'est peut-être cela, vivre !

Une expérience n'en attend pas une autre. Il y en a des bonnes et des mauvaises. C'est inévitable. En bon philosophe, il faut savoir savourer les bonnes et supporter les mauvaises. Ces dernières apportent avec elles un trésor inestimable, l'expérience.

Je traverse en ce moment une période difficile de ma vie. Comme dans la chanson, j'ai envie de chanter : «Môman, ta fille file un mauvais coton.» Tout me paraît sombre et sans issue. Le bonheur a déserté ma maison. Bref, je suis déprimée. J'ai beau avoir un caractère optimiste, les hauts et les bas de la vie m'atteignent comme tout le monde. Je suis en ce moment dans le bas-fond d'une zone grise. Mon petit cœur me fait mal. J'ai besoin d'une opération cardiaque.

Mais voilà que surgit tout à coup une lumière qui transforme ma vie. Elle me vient par le Renouveau charismatique. Je ne connais rien de ce mouvement jusqu'à maintenant. J'apprends par l'entremise d'une amie que des personnes se réunissent pour prier ensemble, le soir. Du monde ordinaire qui prie (pas des sœurs ou des prêtres) ? Ah ! Je trouve cela étrange. Je prie, moi, mais le dimanche. Ma curiosité est piquée à vif. Autant aller voir moi-même ces manifestations étranges. Arrivée au lieu du rassemblement, je vois environ 150 personnes qui prient spontanément, les yeux fermés, proclamant sans gêne leur amour de Dieu. Je les trouve complètement «fous».

Pourtant, la semaine suivante, je suis de nouveau à la réunion de prières. Je les trouve un peu moins «fous». À la troisième semaine, j'ai le coup de foudre. Je fais partie des «fous». L'amour transforme et j'en subis les effets. Dès ce moment, commence en moi une transformation qui ne finit jamais… Je ne savais pas avoir tant de défauts à corriger, tant de choses à changer.

Mon mari à qui l'on demande s'il croit au Renouveau charismatique répond : «À voir ma femme changer de caractère de jour en jour, je commence à y croire.»

Pour être honnête, je me trouvais assez parfaite. J'étais satisfaite de moi-même. Tout ce qui n'allait pas était la faute de l'autre. Mais, avec «l'éclairage direct d'En Haut», je me vois différemment. Depuis bientôt 20 ans, je vis une belle aventure, tout en gardant les deux pieds sur la terre. L'Amour avec un grand A est à la base de cette merveilleuse histoire. «J'ai un cœur nouveau.»

Une prima donna en devenir
1977 - 1980

Après le coup de foudre «charismatique», je me sens poussée à écrire des poèmes qui, peu à peu, se transforment en chants religieux. Phénomène étrange, puisque je ne connais ni la poésie, ni la musique ! Je garde tout cela bien secret en moi, mais cette nouvelle expérience spirituelle me redonne la joie de vivre.

De passage chez un de mes enfants, il me dit en me voyant : «Maman, comme tu as l'air heureuse ?» Je n'ose lui en révéler la raison, de peur qu'il ne comprenne pas. Je juge mal la jeune génération. Comme il insiste, je finis par céder et avouer qu'en plus d'écrire des prières, je compose des airs que j'ai l'impudence de chanter. Lui et sa conjointe veulent m'entendre. Je suis très gênée et me cache derrière la tenture du salon pour m'exécuter.

À ma grande surprise, ils trouvent cela beau et vont jusqu'à me suggérer d'enregistrer mes chants. Mon fils connaît un jeune guitariste, Yves Cloutier, qui a 29 ans. J'en ai 70. Ne pensez pas à Harold et Maude. Il serait peut-être intéressé à travailler avec moi – ou plutôt à me faire travailler. Et c'est parti. Les répétitions se succèdent au rythme de deux ou trois par semaine pendant une période d'environ trois mois. Je pratique, je chante, je fausse, je prends du miel, je répète. Je travaille d'arrache-pied, bien que l'expression ne convienne pas très bien. Ce jeune guitariste plein de talent veut m'amener dans un studio d'enregistrement. À la question : «Quand serai-je prête ?», il me répond toujours : «Vous pouvez faire mieux.» Mais je sens que j'ai atteint mes limites. Jamais je n'atteindrai le contre-fa. Je ne me prépare pas une carrière au *Metropolitan Opera*. Je renonce à devenir la prima donna du siècle. Je laisse l'honneur à d'autres. Pourquoi pas à ma nièce Nathalie Choquette ?

Le studio, cet inconnu

Et me voilà lancée en orbite. C'est l'inconnu pour moi : le studio d'enregistrement, le synthétiseur, la batterie, tous ces instruments de musique, la chambre insonorisée, mon guitariste dans une pièce et moi dans l'autre… il y a de quoi effrayer une jeune novice de 70 ans. Je me sens perdue.

Devant le micro, je deviens «aphone», pas un son ne semble vouloir sortir de mon gosier. Quel malheur pour une cantatrice ! Trois ou quatre jours se passent au studio sans aucun résultat. J'essaie pourtant de faire de mon mieux. Je rate toujours quelque chose, soit le commencement, si ce n'est la fin ou le milieu, jusqu'au moment où mon guitariste me dit : «Ne pensez pas à chanter, priez vos chansons.» Cette sage recommandation me permet d'enregistrer une cassette que je ne peux malheureusement vous faire entendre. J'avoue que je suis fière de cette réalisation, fière d'être allée au bout d'un projet quasi irréalisable. Est-il vraiment de moi ?

Une histoire mal digérée

Alors que ma fille aînée et mon gendre voyagent à travers la Chine (a-t-on idée d'aller si loin pour voir des Chinois), je suis la gardienne attitrée de leurs quatre enfants. Il y a quelques jours à peine, je viens de recevoir la cassette de chants religieux enregistrée non sans efforts. Je suis fière de ce tour de force accompli à 70 ans. J'en suis même orgueilleuse. C'est comme l'enfant de ma vieillesse.

Alors que je suis à préparer le souper des quatre filles de «mon gendre», voilà que je reçois un appel téléphonique de mon fils me disant qu'un réalisateur de Radio-Canada, monsieur S. Turgeon, veut absolument avoir ma cassette. Il l'a entendue et veut la faire jouer le lendemain matin à son émission. Le lendemain, c'est Vendredi Saint. Tout, jusquelà, me semble plausible. Je dois remettre en mains propres à M. Doré ma précieuse cassette et me rendre immédiatement au 1830 Van Horne, à Outremont. J'hésite à laisser les enfants seules car j'ai le sens du devoir. L'aînée me rassure en me disant qu'elle peut très bien s'occuper de ses sœurs; d'ailleurs, j'irai en vitesse, comme d'habitude.

Arrivée à l'adresse indiquée, je ne trouve pas l'appartement. Je cherche en vain alentour. Rien. J'ai dû prendre le mauvais numéro puisque au lieu d'un appartement, c'est une poissonnerie.

Je retourne très vite chez mon fils qui me demande : «On est quelle date aujourd'hui ?» C'est le 1er avril. Je suis tellement obnubilée par ce qui m'arrive que je ne fais pas le lien.

«Maman, poisson d'avril !» Je suis en colère.

Avouez qu'elle est difficile à digérer cette «farce au poisson». J'ai mis beaucoup de temps à pardonner à mon gendre qui fut le concepteur et à mon fils, son complice, qui en fut l'exécuteur. Maintenant, j'en ris de bon cœur, d'un rire teinté de jaune…

9

Fin de carrière

Le Guatémala
- Une missionnaire laïque -
1979

Mon voyage au Guatemala a été une aventure extra-ordinaire. Sur tous les plans (spirituel, moral, physique), elle a été unique, excitante, douloureuse, enrichissante, difficile. Je suis revenue «différente» de là-bas. J'oserais dire «améliorée». «Les voyages forment la jeunesse...» c'est tout dire.

Comment cela a-t-il commencé ? Je donne toujours des cours de relations humaines à de «jeunes» femmes de 20 à 70 ans. L'une d'elles, Denise, me parle du Père Armand Gagné, trinitaire, missionnaire au Guatemala, plus précisément à Champerico. Elle l'aide à ramasser des fonds pour sa mission. Padre Armando, comme on l'appelle, est plein d'initiatives. Il a fondé une usine de ciment, une coopérative, une caisse populaire. Il fait travailler les gens de là-bas. Il leur apprend «à pêcher plutôt que leur donner le poisson tout cuit».

Le peuple de ce pays est très pauvre, il n'y a pas d'aide sociale d'aucune sorte. Plusieurs n'ont pas de maison. Ils habitent dans des cabanes faites de bouts de bois ramassés sur la plage, et recouvertes de guenilles trouvées çà et là. Le Padre a à cœur de loger convenablement ses ouailles. À l'usine, on fabrique des blocs de ciment qui servent à construire des maisons. Chaque maison coûte environ 1000 $. C'est peu pour une maison, mais c'est beaucoup pour celui qui n'a pas d'argent. Le Padre a une idée lumineuse pour attirer les fonds. Il propose que chaque donateur de 1000 $ ait son nom inscrit sur la façade de «sa» maison. L'idée me plaît et me fait ouvrir la bourse toute grande. Je vois déjà mon nom «Margarita» scintiller en plein ciel du Guatemala, comme des néons. Cela satisfait pleinement ma vanité. On prend les gens par où l'on peut, n'est-ce pas ?

Denise organise un voyage au Guatemala. J'en suis. Rien ne me retient à Montréal. Je suis veuve, libre comme l'air et j'ai besoin de me dépenser pour les autres. Si le Padre veut bien accepter mes services, j'aimerais demeurer là-bas quatre mois. Le Padre est consentant. Me voilà promue «missionnaire laïque», du moins c'est le titre que je m'attribue. Encore un rêve de jeunesse qui se réalise. La vie est vraiment remplie de surprises.

Le départ est fixé au début de septembre de l'an de grâce 1979. Je suis triomphante. On donne des réceptions en mon honneur. On me complimente, on me trouve courageuse, même héroïque, de partir en pays de mission à mon âge. Cela plaît beaucoup à mon ego. Mes parents, mes amis m'offrent des dons pour ma mission. Ils sont très généreux. J'ai environ 3000 $ à distribuer. Je réalise que l'argent sécurise. J'arbore même un costume signé Rodier. Je suis prête à m'envoler avec mes bagages et mes illusions.

Je vis les 15 premiers jours dans l'euphorie avec les autres voyageurs. Tout est nouveau, on découvre les gens, les lieux, les sites. Puis, c'est le départ des amis et à ce moment, la vraie vie commence.

J'enlève mon costume Rodier. Je mets ma jupe en jeans, mes sandales, mes bas courts, je retrousse mes manches et je suis prête à attaquer. Quoi ? Je l'ignore. Champerico est un petit village très pauvre, situé sur les bords de l'océan Pacifique. Les gens y sont très attachants, toujours souriants malgré leur dénuement. Le Padre m'initie peu à peu à la mission. Je l'accompagne dans ses visites à ses ouailles. C'est toujours la fête. Nous sommes accueillis par des chants, des danses et un petit goûter. Pour se rendre dans ces lieux où parfois il n'y a pas de routes, le Padre se sert du jeep ou de la motocyclette. Il me laisse conduire le jeep, ce qui me ravit. Quant à la moto, je me contente de m'asseoir sur le siège arrière. Après tout, je ne suis plus une jouvencelle. J'ai 64 ans. J'avoue que ce sont les moments que je préfère. Je me sens dans mon élément. J'aime quand ça bouge. Mais voilà que je perds mon «job». On me nomme sacristine. Est-ce une promotion ? Je n'en sais rien. Je dois préparer l'autel pour les cérémonies religieuses, voir aux vases sacrés, aux nappes, aux ornements sacerdotaux, tout placer avec ordre et minutie. Je ne suis malheureusement pas une spécialiste du détail. Je dois tout préparer, ne rien oublier quand le Padre va célébrer sa messe à l'extérieur. C'est une autre personne qui l'accompagne. Je les regarde partir avec un peu d'envie dans le cœur, tandis que je reste seule, bien sagement au presbytère. Aucune plainte ne sort de ma bouche. Je me trouve vraiment héroïque. J'ai sûrement la grâce «actuelle», comme on apprenait dans notre petit cathéchisme.

D'autres fonctions viennent s'ajouter à celle de sacristine. L'école du village, baptisée *Escuela Padre Armando,* a grand besoin de peinture. Les murs sont sales et tout barbouillés par les enfants. J'ai de l'expérience dans ce domaine. Le plâtre et la peinture, ça me connaît. J'avoue que j'aime beaucoup mieux être peintre en bâtiment que sacristine. Cela convient davantage à mon tempérament.

Après l'école remise à neuf, c'est le nettoyage à fond de la chapelle. J'ai les mains plongées dans l'eau de Javel et je frotte les tuiles du chœur avec de la laine d'acier, jusqu'à ce qu'elles brillent et que mes mains crient «assez». Ne pleurez pas sur mon sort; je suis très heureuse dans ces petites tâches. Elles me laissent beaucoup de temps pour réfléchir. J'ai l'impudence de me comparer à Bernadette Soubirous. J'ai oublié de dire que, dès mon arrivée, je me suis acheté une bicyclette, une CCM, rouge par-dessus le marché ! Elle m'est très utile pour remplir ma mission de missionnaire laïque. Je vais le matin acheter chez le boulanger toute sa fournée de *galletas* et je les distribue aux enfants qui courent après moi comme des petites abeilles.

Je prends des cours d'espagnol qui me permettent

de baragouiner tant bien que mal. Hélas, je n'ai pas le don des langues comme mon mari. Je réussis quand même à me faire comprendre. J'aime trop parler pour me taire.

J'habite une grande chambre, dans un hôtel, qui me coûte la folle somme de 0,50 $ par jour. Il y a un balcon, un hamac, des cocotiers, des palmiers, des bougainvilliers à profusion qui sont inclus dans le prix. Le climat est idéal pour qui aime la chaleur, souvent 105°F. Je ne m'en plains pas, au contraire, j'aime la chaleur. Je sue à grosses gouttes. Maman disait que suer était excellent pour la santé. Cela élimine les toxines de l'organisme. Je me purifie de toutes parts. Je donne aussi des cours de français et d'anglais à un ingénieur guatémaltèque qui doit aller étudier aux États-Unis. Heureusement qu'il n'y a pas de témoins pour évaluer mon enseignement. Quand je suis à bout d'imagination, je demande au Padre : «Qu'est-ce que je vais faire maintenant ?» J'ai comme toute réponse : «Cherche.» Le Padre est trop occupé par son ministère, sa fabrique de ciment, ses nombreuses consultations pour s'occuper de ma petite personne. On le réclame de partout. Padre par-ci, Padre par-là. Donc, je cherche.

Il y a des moments où je me sens bien seule, presque abandonnée. Je me demande ce que je suis venue faire là. Mais, dans mon for intérieur, je connais la raison. Heureusement, il y a le Bon Dieu. Il m'apprend à Lui parler, à Lui confier mes soucis, à me rapprocher de Lui, à ne compter que sur Lui. Il me redonne du courage et la joie de vivre. Je reprends alors le boulot avec enthousiasme.

Pour occuper mes soirées, je m'amuse à broder sur des chapeaux de paille. On me demande où j'ai acheté ces chapeaux ? J'avoue humblement qu'ils sont assez jolis. L'idée me vient donc de faire broder les femmes. Pour les attirer, je sonne la cloche devant la salle paroissiale et je les invite à entrer avec leurs enfants. Au début, elles sont une poignée, mais chaque jour, elles viennent de plus en plus nombreuses, jusqu'au moment où la salle est pleine à craquer. Je suis satisfaite. Mon but est atteint. J'ai trouvé.

J'envoie les enfants au marché d'à côté (au *mercado*) acheter des chapeaux de paille à la douzaine pour la modique somme de 0,25 $ l'unité, des aiguilles à broder et des laines aux couleurs brillantes. Il faut les voir à l'ouvrage, ces femmes : une vraie frénésie s'empare d'elles. C'est à qui broderait le plus beau chapeau. Je leur suggère de continuer à broder des chapeaux – et pourquoi ne pas les vendre ? C'est ainsi que naissent le commerce, la petite entreprise, les PME...

Mon séjour au Guatemala est sur le point de se terminer. Il ne reste que 10 jours avant mon retour au Canada. Il serait dommage de ne pas visiter un peu le Guatemala. Il y a tant de choses intéressantes à connaître sur la civilisation des Mayas. Je demande au Padre la permission de partir en touriste (je devrais dire en «tout-risque») seule, dans ce pays hispanophone. Il me l'accorde. Je suis devenue très obéissante. Ce que mon mari n'a pas réussi à faire durant 36 ans, le Padre l'a réussi en quatre mois : une femme obéissante et soumise. Me voilà donc repartie pour une autre aventure, mais cela est une autre histoire...

Mon aventure spirituelle est terminée au Guatemala. Je rentre chez moi, le cœur battant, heureuse de retrouver tout mon monde. En apparence, je suis toujours la même, mais que de changements se sont opérés en moi, à mon insu. L'avenir le prouvera. On devrait vivre sa vie à l'envers, en commençant par la fin. Ça irait beaucoup mieux. Qu'en pensez-vous ?

Grand-mère à temps plein

La vie nous demande parfois d'effectuer des tournants difficiles. Il faut maintenant quitter cette maison de la rue Rockland à laquelle tant de souvenirs heureux et même malheureux me rattachent. Elle est devenue sans âme et sans vie. Les enfants sont partis les uns après les autres, mon mari est décédé, je reste seule dans cette maison silencieuse où résonnaient autrefois autant de rires que de pleurs.

La vie n'est-elle pas un mélange de joies et de peines, de succès et d'échecs ? Hélas ! Personne n'y échappe. Pour moi, savourer les bons moments et accepter les mauvais me semblent le secret du bonheur.

Mais avant de quitter ma maison pour le petit appartement plutôt modeste que j'ai loué, il me faut déménager. Quitter une maison de huit pièces avec cave et grenier pour un quatre-pièces et demi, cela demande beaucoup de calcul et surtout, de dépouillement. J'accumule depuis 30 ans les objets les plus hétéroclites. J'imagine qu'un jour cela servira. Jeter même un bout de tissu m'est intolérable. Je suis terriblement attachée à mes «guenilles». Jamais je n'y arriverai ! Heureusement, mes enfants viennent à mon secours. Ils sont très efficaces, évidemment, ils jettent tout malgré mes protestations. Ils ne semblent pas avoir le même attachement que moi pour mes souvenirs. Ont-ils du cœur ? Dans le fond de moi-même, je sais bien qu'ils ont raison, sans cela, il m'aurait fallu louer deux appartements de quatre pièces et demi.

Après leur départ, je vais jeter un regard mélancolique dans les poubelles et je verse «un pleur» sur mes vieilles affaires – ou serait-ce sur mon passé ?

Une fois installée dans mon petit appartement de l'avenue Perham, je vois les avantages plutôt que les inconvénients. Je vis le détachement. J'apprivoise la solitude, et petit à petit, je reprends goût à la vie. Oui, j'aime la vie ! Elle a tellement de belles choses en réserve qu'il me semble que la mienne sera trop courte pour tout découvrir. Heureusement je suis encore jeune. J'ai toute la vie devant moi... c'est ce qui m'encourage.

Mon rôle de mère m'a très bien préparée à celui de grand-mère. Des petits-enfants, il en naît chaque année. Parfois un, parfois deux, parfois trois la même année, mais pas de la même mère ou du même père, ce qui fait un total de 16. Si, à ce nombre, j'ajoute les «rapportés», qui font partie intégrante de la famille, j'arrive au grand total de 25 petits-enfants. Ce qui m'autorise à me faire appeler «Mémé». Ils occupent beaucoup ma pensée, mon temps, mon cœur et ma machine à coudre.

Depuis que je suis libre, veuve et en santé, ma nouvelle vocation semble vouloir se préciser. Mes enfants aiment beaucoup voyager. Comment leur reprocher ? Ils suivent l'exemple de leur père. Tous les pays, et même la Chine, les attirent. Il y a toujours une bonne raison pour partir, tantôt les affaires, les vacances, tantôt la culture, les congrès et que sais-je encore ? Mais qui gardera leur précieuse progéniture ? Il n'est pas nécessaire de chercher bien loin. Dans leur esprit, la question ne se pose même pas : c'est Mémé. On peut lui faire confiance. Il y a des fois où je trouve que mes enfants me font un peu trop confiance... C'est une boutade, ne me croyez pas.

Les petits-enfants grandissent. Ils prennent un peu plus de liberté chaque année. Ils vont au camp, en excursion à la campagne, chez les cousins : il faut les reconduire. Mais que voulez-vous ? Les parents travaillent. Ce n'est plus la génération des mères au foyer (ce qui ne les empêche pas d'être d'excellentes mères). Encore une fois, je suis chauffeur. J'avoue honnêtement que c'est le rôle que je préfère. J'aime remplir le *station-wagon* d'enfants et de victuailles de toutes sortes. Partir en Beauce, aux États-Unis, à Sept-Iles, aucun endroit ne me paraît trop loin. Mais aussitôt arrivée, je suis prête à repartir.

La barbe et les ponchos

Lors de mes nombreux voyages en auto, mes petits-enfants ont été marqués par un incident peu banal. J'ai toujours eu pitié des personnes qui font du pouce sur le bord des routes. Je sais pourquoi mon cœur s'attendrit. C'est que mes propres enfants ont fait partie des «pouceux» autrefois.

La route est belle. Je dévore les kilomètres, lorsqu'au loin, j'aperçois un jeune homme le pouce levé. J'arrête la voiture, je tasse mes petits-enfants sur la banquette, je fais monter le pouceux et repars aussi vite. Je jette un coup d'œil dans mon rétroviseur pour voir si tout va bien. Je trouve subitement que cet inconnu a l'air bizarre, même louche. La peur me saisit : «S'il fallait que ce soit un évadé de prison ?» J'ai envie de le faire descendre immédiatement, mais la sagesse me conseille d'y aller prudemment. Il pourrait se venger et alors, le pire pourrait arriver. J'adresse une prière au ciel comme je le fais toujours dans les moments difficiles et je sens que je suis exaucée.

J'entrevois au loin deux autres inconnus qui font du pouce. Je vais les faire monter. Mon raisonnement est le suivant: «Trois inconnus, c'est sans doute plus sécuritaire qu'un seul. Ils ne peuvent tout de même pas être trois bandits !» Le risque est à prendre. L'un d'eux nous défendra sûrement si l'on est attaqués. J'arrête brusquement. Je place les petits-enfants dans l'espace arrière du *station-wagon*, réservé aux bagages et j'installe confortablement les trois inconnus sur la banquette. Ils jasent entre eux et ont l'air de se comprendre. S'il fallait qu'ils soient complices ? Plus je regarde dans le rétroviseur, moins je me sens rassurée. Ils ont la barbe et les cheveux longs, ils portent des ponchos. Je ne vois pas d'armes, mais sait-on jamais ?

Je décide *illico* de les déposer en pleine campagne. J'interromps leur conversation et d'un ton qui n'entend pas de réplique, je leur dis : «Vous descendez.» Tout surpris, ils protestent : «Nous ne sommes pas rendus.» Mais il n'y a rien à faire, l'ordre est péremptoire : «Vous descendez.»; et ils obéissent comme des enfants d'un «jardin d'enfants».

Ouf ! Je pousse un soupir de soulagement. Les petits-enfants reprennent leur place et je les supplie de grâce de ne pas raconter cette histoire à leurs parents. Je ne suis qu'une grand-mère indigne !

Le Plateau Mont-Royal
- Le cégep -
1988 - 1990

Et voilà tout à coup qu'un vent impétueux, ou serait-ce un zéphyr, souffle sur moi ! J'ai tout à coup le goût de changer de milieu. Je quitte Outremont où j'ai passé plus de 60 ans de ma vie et m'installe sur le Plateau Mont-Royal. Mon entourage s'inquiète de moi. On me demande : «Comment vas-tu supporter ce changement ?» (Sous-entendu: à ton âge, il est dangereux de se déraciner.)

Je le supporte bien et même très bien. J'aime cette vie de quartier où l'on connaît ses voisins. On se salue, on échange des propos anodins sur la température, sa santé. On a tout à portée de la main : fruiterie, boucherie, magasins divers, toutes ces commodités rendent la vie facile et agréable.

Mais un plus grand changement se prépare à mon insu. Le grand responsable de ce chambardement est un petit dépliant du cégep de Rosemont annonçant des cours pour adultes: «À la découverte du plaisir d'écrire.» Je suis fascinée par le titre. Je me sens tout à coup l'âme d'un explorateur à la découverte, non d'un continent, mais du plaisir d'écrire. Et me voilà transportée presque par magie sur les bancs du cégep.

Je m'en souviens, c'était un jeudi, le 8 février 1990. La journée était belle. Malgré la neige, le temps avait la douceur du printemps et moi, j'avais un souffle de vie qui me traversait le corps : j'avais 20 ans ! Par miracle, me voilà devenue une jeune étudiante, livres et cahiers sous le bras. Je croise jeunes filles et jeunes garçons. Je m'exclame : «Que c'est beau la jeunesse !» Hélas, elle ne dure qu'un temps !

Au fur et à mesure, je découvre une nouvelle motivation qui me fait trouver la vie belle. Je la savoure avec délices, comme un beau fruit juteux.

La session terminée, j'ai le goût d'en recommencer une autre, tant j'y trouve de satisfaction. Je m'inscris donc à tous les cours offerts dans le domaine littéraire : créativité, expression dynamique, parolier, etc.

Quant à l'utilité de ces cours, en vue d'une nouvelle carrière à 75 ans, je ne me pose aucune question. Tout ce que je sais, c'est qu'ils me remplissent de joie et d'enthousiasme. Je ressens comme un bouillonnement en moi. Le présent se chargera bien de l'avenir...

Entre temps, je me livre à mes fantaisies littéraires. Mon inspiration prend différentes formes. J'écris poèmes, nouvelles, méditations, maximes. Je rêve à un éditeur «potentiel et très intelligent» qui découvrirait mes talents littéraires. Hélas ! Tous les «chefs-d'œuvre» dorment paisiblement au fond de mes tiroirs en attendant le réveil espéré. Ah ! la célébrité, le pouvoir, la puissance et la gloire. Que de rêves évanouis !

Les 75 fleurs de Marguerite
1990

Je serais la personne la plus ingrate et la plus injuste si je ne m'arrêtais qu'aux rêves irréalisés. La vie a été d'une telle générosité envers moi. Elle m'a donné cette joie de vivre qui ensoleille chacun de mes matins depuis 75 ans (27 385 jours). Je suis née sous le signe de l'amour et je mourrai (si jamais je meurs) sous le même signe.

Soixante-quinze ans, cela se fête ! On n'a pas tous

les jours trois quarts de siècle. À ma connaissance, cela n'arrive qu'une seule fois dans une vie. Mes enfants y ont sûrement pensé. À mon insu, depuis des mois, ils préparent fébrilement la fête, et quelle fête ! Pas la moindre petite fuite ne s'échappe. Je tends la ligne, rien ne mord. Je suis même très inquiète. Va-t-on me fêter ? Si par malheur on m'oubliait ?

À ma grande surprise, le dimanche 11 novembre 1990, on vient me chercher en limousine avec chauffeur, s'il vous plaît. On m'amène les yeux presque bandés dans une immense salle où 175 personnes sont réunies. Je suis accueillie au milieu des acclamations et des chants. Mon émotion et ma joie sont inexprimables en mots ordinaires. Et la fête ne fait que commencer. C'est un feu roulant. «Never a dull moment», aurait dit ma mère.

Mes enfants et petits-enfants dévoilent leurs talents artistiques en dessins et posters originaux. Soixante-quinze marguerites symbolisent mes 75 ans. Rien n'est oublié. Un petit dépliant illustré, *Les épisodes rigolos d'une vie pleine d'aventures,* relate des histoires amusantes recueillies chez mes amis intimes. Des témoignages d'amour et d'amitié m'arrivent de toutes parts. L'encens me monte au nez mais j'avoue que je le respire très bien. Aucun éternuement !

Un de mes fils mène le jeu. Les petits-enfants et les «rapportés» viennent à tour de rôle au micro et me disent des mots d'amour. Un sketch humoristique me dépeint avec toute ma fantaisie, mes travers. C'est à mourir de rire !

Après une longue litanie où l'on me loue et l'on me critique, tout à la fois, gendres et brus me décernent le trophée tant convoité de «La belle-mère du siècle». Avouez que c'est un tour de force de se faire accepter comme belle-mère, à l'unanimité !

Et que dire de mes enfants ? J'en suis fière, vous vous en doutez sûrement. Tout en faisant de moi «la vedette», ils n'oublient pas de rappeler le souvenir ému de leur père. Ma «modestie proverbiale» m'empêche de rapporter toutes les qualités et vertus qu'on me prête; cependant, je contournerai la difficulté en citant certains propos de mes enfants :

«Il a fallu à notre mère sept enfants afin de se réaliser et distribuer équitablement ses qualités à chacun, dont voici les dominantes :

«Renée : solide et sereine. Annik : entière, franche, féministe. Joëlle : énergique, pleine de vitalité. Jean-Yves : boute-en-train, tenace. Kateri : artiste, créatrice, originale. François : philosophe, humoriste. Christian : non conformiste, détaché des choses matérielles. Merci maman d'être notre modèle et de nous avoir tous tant aimés.»

Après ces témoignages d'amour, il ne me reste plus qu'à tirer ma révérence et à dire merci, merci, encore et toujours merci...

L'ultime défi
1993

Jamais je n'oublierai cette fête extraordinaire de mes 75 ans. Je suis maintenant confortablement assise sur mes lauriers. Les années, comme l'eau, glissent doucement entre mes mains. Tout semble calme. J'ai bien mérité de me reposer avant le grand voyage dont je remets le départ d'année en année.

Cependant, la vie a de ces surprises dont on ne soupçonne pas les conséquences. Une petite annonce vient encore tout chambarder dans mes habitudes et troubler ma quiétude : «Concours littéraire La Plume d'Argent offert aux personnes du troisième âge.» Je suis du troisième âge, hâtons-nous d'écrire avant de tomber dans le quatrième !

Mon tempérament combatif, adouci par l'âge, se réveille subtilement et c'est parti. Je me mets à écrire avec fébrilité, le jour, la nuit, peu importe. Je cours après l'inspiration comme après des papillons. Je prends l'affaire au sé-rieux. Je me rends vite compte qu'il faut me discipliner. Il ne s'agit pas seulement de griffonner quelques pensées sur un vieux bout de papier ou de me laisser aller à ma seule fan-taisie. Comme le disait un ex-premier ministre du Canada (pour ne pas le nommer, Pierre E. Trudeau) : «Fini les folies.» Je dois travailler si je veux mener cette aventure à terme.

Je coupe les téléphones inutiles, les conversations oiseuses. La table de la salle à manger devient table de tra-vail. Elle est recouverte de papiers, stylos, dictionnaires de toutes sortes. J'installe une pancarte bilingue à ma porte : «Do not disturb, Madame écrit.» Je sens qu'on me respecte davantage, depuis que je me donne le titre d'écrivaine. Et pendant que je plonge dans mes souvenirs, heures, jours, se-maines, mois passent à un rythme effréné. Je suis comme emportée sur les ailes de la muse Écriture et je me sens bien là-haut. Malheureusement, il est temps de redescendre dans le présent. C'est avec une certaine nostalgie, je l'avoue, que je m'apprête à mettre le point final à mon passé. Il me faut préparer mon avenir…

Ma mère, dont le souvenir est toujours présent à mon cœur, aurait sûrement énoncé cette vérité pleine de sagesse : «On s'est tout dit.»

Je laisse tomber le stylo de mes mains. Je lève les deux bras en l'air et je m'écris : «Victoire ! J'ai relevé le défi !»

La victoire, je la dois à mes enfants qui m'ont donné la plus belle raison de vivre et à qui je dédie ce poème :

C'était la belle saison

C'était à la belle saison
C'était au printemps
J'étais au printemps de la vie
J'ai mis un enfant au monde

Tout s'éveillait dans ma maison
Je riais à la vie
J'ai découvert que mon cœur était fait pour l'amour
C'était à la belle saison
C'était au printemps
J'ai mis un enfant au monde

C'était à la belle saison
C'était l'été
J'étais à l'été de la vie
J'ai mis un enfant au monde

Tout éclatait dans la nature
Je mordais à la vie
J'ai découvert que mon cœur devenait plus grand
C'était à la belle saison
C'était à l'été
J'ai mis un enfant au monde

C'était à la belle saison
C'était l'automne
J'étais à l'automne de la vie
J'ai mis un enfant au monde

Tout flamboyait devant mes yeux
Je jouissais de la vie

J'ai découvert que mon cœur était en feu
C'était à la belle saison
C'était l'automne
J'ai mis un enfant au monde

C'était à la belle saison
C'était l'hiver
J'étais à l'hiver de la vie
J'ai mis un enfant au monde

Tout dans la nature semblait endormi
Je me laissais bercer par la vie
J'ai découvert que mon cœur était devenu amour
C'était à la belle saison
C'était à l'hiver
J'ai mis un enfant au monde

Et le cycle des saisons recommence
Et mon cœur n'en finit pas d'aimer
J'ai mis des enfants au monde

C'est toujours la belle saison !

Ici se terminent 80 ans de souvenirs mais, croyez-moi, la vie continue, pleine de promesses, et ce n'est pas fini...

OCTOBRE 1995

Maximes à la Marguerite

**Le verbe aimer
conjugé aux trois étapes de la vie:
1ère: Je m'aime 2e: Je t'aime 3e: J'aime.**

——

**Ne dis jamais tes défauts aux autres;
ils s'en apercevront bien assez vite.**

——

**On a le jugement formé
au moment où l'on n'a plus
de jugement à porter.**

——

**Dans la vie, on a deux certitudes:
le présent et la mort.**

——

**L'humour est une façon pudique
de se mettre à nu.**

——

**Le bonheur n'a pas son pareil
pour nous rendre heureux.**

——

**La passion est comme une fournaise
sans thermostat.**

——

**Avouer son erreur,
c'est se pardonner à soi-même.**

——

Paradoxe: un acte gratuit est toujours payant.

——

Maximes à la Marguerite

—

**Recette de bonheur :
les pieds bien sur la terre,
le cœur sur la main
et la tête dans le ciel.**

—

**Le silence est préférable à la parole,
surtout quand on n'a rien à dire.**

—

**La vieillesse et l'adolescence se ressemblent :
la susceptibilité les unit.**

—

**L'ennui, c'est attendre sans fin
quelque chose ou quelqu'un qui ne vient jamais.**

—

**Aimer la vie,
c'est se faire un cadeau tous les jours.**

—

**On peut tout donner à ses enfants,
sauf des conseils.**

—

**Il faut s'aimer sans illusions,
afin de les garder pour les autres.**

—

**La joie de vivre est un feu d'artifice
que l'on porte en soi. Il suffit de l'allumer.**

—

Autres titres publiés aux Éditions Lescop

Nous sommes tous des acteurs / autobiographie
Jean-Louis Roux

Romance noire en deux mouvements / roman
Geneviève Manseau

Aider sans nuire / essai
Suzanne Lamarre

En effeuillant la Marguerite / autobiographie
Marguerite Lescop

Histoires innocentes et coupables / nouvelles
Louis Thériault

Justice maudite / roman
Jean-Marc Martel

Passager / roman
Jean-François Gros d'Aillon

Visitez notre site internet : www.lescop.qc.ca

MEMBRE DE SCABRINI MEDIA

Québec, Canada
2004